コロナ後の世界

ジャレド・ダイアモンド　ポール・クルーグマン
リンダ・グラットン　マックス・テグマーク
スティーブン・ピンカー　スコット・ギャロウェイ
大野和基［編］

文春新書

1271

はじめに

今世紀最大のパンデミックは中国からはじまりました。グローバリズムによって地球の隅々までがつながった現在、新型コロナウイルスは瞬く間に拡がり、世界中で猛威をふるっています。

人類の歴史は感染症との闘いと言われるように、黒死病やペストなど、私たちはいくつかのパンデミックを乗り越えて生き延びてきました。前の世紀においても、一九一八年にアメリカから大流行した〝スペイン風邪〟がありました。当時の総人口の四分の一ほどに当たる五億人が感染し、四千万人が死亡したとされます。しかしながら百年以上前のことであり、やはり私たちは自分たちの問題ではなく、歴史上の出来事として捉えていたのかもしれません。

ただでさえわが国は、東日本大震災とそれに伴う原発事故にみまわれました。それから十年足らず、復興のあかしとしてオリンピックを開催する直前に、パンデミックに襲われるとは誰が予想したでしょうか。

後世の歴史家は、コロナ以前／コロナ以後で年表に一線を画すかもしれません。わが国だけでなく、世界的にますます混迷が深まる中、私たちはどうなるのか、人類の未来に羅針盤はあるのか——世界を代表する知性六人に問いました。

テーマは新型コロナのみにとどまらず、少子高齢化や格差問題、人工知能やGAFAが作る未来像など多岐にわたります。混迷を極める二〇二〇年代を生き抜くための考えるヒントがここにあります。

文春新書編集部

コロナ後の世界　◎　目次

第1章

独裁国家はパンデミックに強いのか

ジャレド・ダイアモンド

現在、カリフォルニア大学ロサンゼルス校（UCLA）地理学教授を務めるジャレド・ダイアモンド氏（82）の名を一躍、世界に知らしめたのは、ピューリッツァー賞（一九九八年）を受賞した著書『銃・病原菌・鉄』（草思社）だった。さまざまな資料を駆使して「西洋が経済的に優位に立ったのは、人種の優劣ではなく地理的な要因だ」と喝破し、「ヨーロッパ人は優秀」という人種差別的な偏見に反論する内容で世界的なベストセラーとなった。

ダイアモンド氏は、ハーバード大学で生物学、ケンブリッジ大学で生理学を修めたあと、進化生物学、鳥類学、人類生態学へと研究領域を広げた。複数の言語を操り、ニューギニアで長年フィールドワークを続けるなど、学際的な研究で得た独自の視座による著作はいずれも世界的に高い評価を得ている。

最新刊の『危機と人類』（日本経済新聞出版社）は、これまで国家がいかにして危機を乗り越えてきたのかを幅広い事例で検証し、人類が目下直面する危機にどう立ち向かうべきかを論じた示唆に富む一冊だ。

新型コロナウイルスによるパンデミックという世界的な危機に加えて、日本は人口減少、少子高齢化、男女不平等、近隣諸国との関係、資源不足、長引く不況など、独自の問題も以前から多く抱えている。再度の感染拡大への不安が高まる中、ダイアモンド氏がポスト・コロナ時代における世界と日本の羅針盤を示す。

コロナ対応にみる各国のリーダーシップ

新型コロナウイルスへの危機対応において、各国におけるリーダーシップの在り方や、リーダーたちの資質の差が如実に現れました。アメリカのリーダーであるドナルド・トランプ大統領の場合、率直に言ってかなりひどいものでした。アメリカで流行がはじまった三月上旬ではありましたが、トランプ大統領はこう言っていました。

「毎年インフルエンザで平均二万七千〜七万人が死亡している。それでもシャットダウンせずに生活も経済も回っている。現時点でコロナウイルスの感染が確認されているのは五百四十六人で、死亡者は二十二人だ。これを考えてみてほしい！」（三月九日のツイート）

ところが、その一カ月後に死者は一万二千人を超え、五月には九万人超にものぼりました。死亡者数三万人台のイギリス、イタリアを大きく上回り、世界最悪の事態となったのです。新型コロナの脅威を軽く見すぎていたことは明らかでしょう。

幸いにも私が住んでいるカリフォルニア州では、ニューサム知事が三月十九日にいち早くロックダウン（都市封鎖）を開始し、ロサンゼルス市のガルセッティ市長とともに素晴らしいリーダーシップを発揮してくれました。

他国に目を向けると、イギリスのボリス・ジョンソン首相も当初は厳しい現実から目をそらしていたように思えます。三月十二日には、ウイルスを封じ込めるのではなく、「感染のピークを遅らせて五〇％に抑えることを目指す」と宣言しました。つまり、都市封鎖はせずに「集団免疫」を獲得する方針を打ち立てたのです。ところが、自分自身が感染して入院したことで（四月十二日退院）、ようやく事態の深刻さを認めたように思えます。

ブラジルのボルソナロ大統領は、国内の死者が二万人に及ぼうとしているのに、「新型コロナには七〇％が感染する。どうすることもできない」などと言って経済活動の再開を訴えるばかりで、いまだに感染防御への真剣さが見られません。

さて、日本の新型コロナ対策はどうでしょうか。アメリカにいる私から見ると、日本は諸外国に比べて、よくやっているように思えます。そもそもアメリカやヨーロッパと比較すると、日本政府はパンデミック対策において恵まれていると思います。というのも、日本は欧米よりも政府の統制力が強く、個人の自由が制約されることへの国民の反発が少ない印象があるからです。ロサンゼルス市では外出禁止令が出された後でも、市民が閉鎖されているビーチに出かけたり、そこでゲームをしていたりする人までいます。日本では社会的な規範に反してまで、自己中心的な行動をする人は少ないでしょう。

なぜ中国は野生動物市場を野放しにしたのか

ウイルスの蔓延を防ぐためには、外出禁止など人々の自由な行動を制限することがどうしても必要です。その意味で私たちアメリカ人は独裁的な政治体制をもつ中国をうらやましいと思うこともあります。中国のような共産党一党独裁の政府は、ひとたび決断すれば強権的に緊急措置を実行することが可能ですから。

しかし、民主主義国家よりも独裁国家のほうが感染症に対して有効に対処できたかというと、答えはノーです。

昨年十二月に新型コロナによる肺炎が発生したとき、中国政府は情報を隠蔽しようとしました。民主主義国家では、そのような情報を統制することはほとんど不可能ですが、独裁体制であれば悪い決断であっても迅速に行えるのです。

振り返ってみれば、二〇〇二年十一月、SARS（重症急性呼吸器症候群）の感染者が最初に発生したのも、中国でした。SARSウイルスが人に伝染したのは、野生動物市場が原因です。そこで売られていたハクビシンからウイルスが人に感染したのであり、そのハクビシンはコウモリからウイルスに感染したと考えられています。

未知の感染症はSARSやエイズ、新型コロナに限らず、人類の中で自然に発生するものではありません。動物が持っているウイルスが人間にも感染するように変異するのです。その多くが野生の哺乳類です。なぜならウイルスや病原菌にとって、もともとの宿主と同じような性質の動物に乗り換えるほうが簡単だからです。

新型コロナの蔓延を受けて、中国政府は二月下旬に野生動物の取引と消費を全面的に禁止しましたが、ＳＡＲＳ流行の時点で教訓を学ぶべきでした。なぜもっと何年も前に野生動物市場を閉鎖していなかったのでしょうか。

二極化から一丸となったアメリカ

近著『危機と人類』でも指摘したとおり、政治の二極化がアメリカの民主主義を脅かしているのですが、パンデミックへの対応で多少の変化が見られました。もちろん共和党と民主党の二極化は変わりませんが、それでもクリントン政権、オバマ政権、そしてトランプ政権の初期と比べると、そこまでひどくありません。共和党も民主党も新型ウイルス対策の経済支援法案についてスムーズに合意しました。

ここで興味深いのは、新型コロナウイルスの流行拡大という脅威に対して、大きく二極化していたアメリカ人が一丸となって立ち向かおうとしたことです。前に述べたように、当初、トランプ大統領は「コロナはインフルエンザよりも怖くない」と言っていましたが、さすがのトランプ大統領も新型コロナが明白な脅威であることを認めざるをえませんでした。アメリカでいまだにパンデミックを甘く見ているのは、ミシシッピー州のリーブス知事くらいのものでしょう。トランプ支持者である彼は、経済活動の再開をいち早く訴えていました。

新型コロナが今までの危機と違うのは、世界中の至るところに拡がったことです。十四世紀の黒死病や、十九世紀のペストでも、エピデミック（特定地域での流行）であり、現代のように急速に拡がるパンデミックではありませんでした。その違いは飛行機があるかないかです。飛行機によって世界中にウイルスが一気に拡散したのです。

グローバリゼーションが進む中、世界的な危機として気候変動もあげられますが、気候変動は一週間で人の命を奪いません。ところが、このウイルスは一週間もしないうちに命を奪うことがあるのです。

感染症がこれほどの世界的な脅威になるのは、初めてのことかもしれません。これまで国際社会がみな一致して脅威だと認めたクライシスは、実はあまり前例がないのです。天然痘が、国際的に一致して世界的脅威だとされ、ウイルス撲滅に成功した唯一のケースです。一九五八年にＷＨＯ（世界保健機関）で根絶決議が全会一致で可決され、一九八〇年に根絶宣言が出されました。

今回のパンデミックは、その時と同じように世界的な脅威という認識を共有して、国際社会で団結できるかもしれません。新型コロナウイルスは自然に消滅することはありません。ですから世界中で撲滅しようとしても、一カ国だけ残っていたら、そこからまた再流行する可能性があるのです。

今回のパンデミックは歴史的に見ると、第一次世界大戦終盤の一九一八年から大流行したスペイン風邪に一番近いのではないでしょうか。スペイン風邪による死者は約四千万人、一説には一億人以上が命を落としたとも言われます。

あくまでも現時点での推測ですが、流行が収束するのは最も早くて二〇二〇年の後半でしょう。アメリカ国内で言えば、ワシントン州やカリフォルニア州のような沿岸部が最も早く感染のピークを迎えると予想されていい ます。逆に最も遅いと考えられているのはモンタナ州です。ここは広いわりに人口が少なく、人々が州全体に散らばっていて、感染の広がるスピードが遅いのです。

ウイルスとは何者か？

ここでウイルスや病原菌について、進化生物学の観点から、基本的なところを説明しておきましょう。みなさんからよく聞かれる質問があります。彼らは、いったい何者で、何のために存在しているのでしょうか？と。

結論から言えば、彼らには意図も目的もありません。脳と言えるものがないので、意思が存在しないからです。人間に危害を加えようとも思っていません。

それでも、あえて進化生物学の観点から答えるとすれば、彼らの目的はただ一つ、「増殖すること」です。

新型コロナウイルスに限らず、天然痘ウイルスやペスト菌などは人々に感染して、病気にすることで自らを増殖・拡散させていきます。感染すると、くしゃみや咳、あるいはペストであれば下痢といった症状が出ます。そうした症状を感染者に起こさせることで、体の外に大量のウイルス・菌をバラ撒いてもらうのです。

つまり、ウイルスは人間に感染して体内で増殖し、人間に自分たちを大量に吐き出させているわけです。それを繰り返して感染が拡がっていきます。ウイルスや病原菌にとって、感染者を病気にすることは増殖の手段であり、ときに感染者を死なせてしまうことは副次的なことであって、唯一の目的は増殖することなのです。

天然痘にかかって適切な治療を受けなかった場合、感染者の半数ほどが死亡します。マールブルグウイルスやエボラウイルスなどは、致死率が最大で八〇～九〇％と非常に高く、感染者がウイルスをバラ撒く前に死んでしまうので、世界的な流行にまでは至らないのです。二〇〇二～〇三年に流行したＳＡＲＳの致死率は一〇％前後でした。今回の新型コロナウイルスではまだ確定していませんが、これらの感染症と比較するとかなり低く、二％ほどと言われています。それだけに感染が拡大しやすいと言うこともできるでしょう。

感染拡大を防ぐ方策

ウイルスの感染拡大を防ぐために考えられる方策は、いくつかあります。

まず第一は、私たちが家にいること。仕事も自宅でテレワークです。この感染拡大で日本でも在宅勤務が増えているそうですね。私が教えているＵＣＬＡでは三月の二週目にはキャンパスを閉鎖し、オンライン講義をはじめました。もちろん教室で直接講義するほうがいいですが、オンライン講義であれば感染のリスクがありませんから。

次に、パンデミックによる不況や失業への補償として、政府が現金給付を行うことです。すでにいくつかの国で実施されています。アメリカですと、年収七万五千ドル未満の人は、最低千二百ドルをもらえます。共同で納税申告している夫婦は、合算した年収が十五万ドル未満だと二千四百ドルを支給されます（十七歳未満の子供がいれば、一人につき五百ドル加算）。ただ、現実的には一人あたり千二百ドルもらっても、すぐに使いきってしまい、追加の給付が必要になるでしょう。

　また、いくつかの国で議論の俎上にのっているのは、ＣＯＶＩＤ–19（新型コロナウイルス感染症）から回復した人を早期に仕事に復帰させることです。彼らはすでに新型コロナウイルスに対する免疫を獲得していると考えられるからです。ただし、感染後に得られる免疫がきちんと機能するのか、どれくらい持続するのかなどは、まだ未知数です。

　水疱瘡《みずぼうそう》パーティー（chicken pox party）のように、（高齢者と比較して致死率が低い）若者たちに新型コロナを感染させて、早く集団免疫を獲得するべきだという考え方もあります。水疱瘡パーティーとは、水疱瘡ウイルスに感染した子供を招いてパーティーを開き、意図的に他の子供たちに感染させる慣習のことで、欧米ではわりと普通に行われています。大人になってから水疱瘡に感染すると大変なことになるので、小さい頃に終わらせてしまおうというわけですが、これが新型コロナでうまくいくとは思えません。少なからず死亡する若者が出るでしょうし、多くの感染者が病院に殺到することで医療崩壊を引き起こすかもしれません。

　この新型ウイルスは、いつまで人類の脅威として立ちはだかるのか、わかっていません。COVID-19から回復した人がどのくらい持続する免疫を作るのか、不明だからです。それに一回感染しても再び感染するのかもわかりません。もし、はしかや百日咳などのように二度と感染しない終生免疫ができるのであれば、おそらくは一年ほどで収束するのではないでしょうか。しかし、インフルエンザと同じように、細かな変異をしたり、流行するタイプが毎年変わったりする場合は、再流行を繰り返すことになります。ワクチンが開発されても、常に変異や流行タイプに対応していかなければなりません。

ロックダウン生活の過ごし方

外出禁止の暮らしに入ってからというもの、私は妻と「何をあきらめないといけないか」について毎日話し合っています。

私は音楽家たちと一緒にクラシックを演奏するのが趣味なのですが、今は他の演奏家たちと一緒にプレイする勇気はありません。バードウォッチングはしますが、友人の家のバルコニーで鳥を観察するのは遠慮しています。どちらも感染するリスクがありますからね。妻の車を修理したほうがいいのですが、それもしばらくはあきらめることにしています。こんなふうにあきらめないとならないことが、毎日あるのです。

息子たちと会うことも数カ月はやめたほうがいいでしょう。彼らはまだ三十代と若く、ウイルスへの抵抗力もあります。息子のガールフレンドを自宅に呼んで一緒に夕食をとることも多かったのですが、それもやめることにしました。彼女は自分が私たちにウイルスをうつしてしまわないか、心配しているのです。

変わらないのは、家族でお互いを思いやることです。妻とは私たちのどちらかが感染したら、どうしたらいいか話し合っています。感染した方が一番奥の部屋に入って、もう一人が食事をドアの前に置くようにしなければいけませんね。妻が七十一歳、私は八十二歳の高齢者ですから。ＣＯＶＩＤ‐19で命を落としたら、子供たちが可哀想です。最も重要なことは両方が生きていることですが、その次に重要なのはどちらかでも生きていることです。

長年、ニューギニア島でフィールドワークをしているせいで、常に前もって考えておく癖がつきました。島の生活は、都会では想像だにしない危険が身近にあふれているからです。

私が三十歳の頃、島でこんなことがありました。大きな木の下にテントを張ってくれと現地の住民に頼んだところ、彼らが絶対にやめたほうがいいと言うのです。「その木は死んでいる。直径が二メートルもあるぞ」と。何十年も生えている木が倒れることはないと思って、私はそこで寝ました。住民たちは怖がって百メートルも離れていました。

すると夜、森の中から木の倒れる音が聞こえるのです。毎晩です。仮に木の倒れる確率が千分の一だとしましょう。〇・一％ですから、ずいぶん低いように思えますが、木の下で毎晩寝ていれば三年に一度は下敷きになってしまう計算です。たとえ一回の確率が低くても、累積すればリスクが高くなることを学びました。だから、新型コロナの危機にあっても、心構えは十分にできています。友人たちは「少し被害妄想的だ」と言いますがね。

危機はコロナだけではない

ひとまず新型コロナの感染拡大が収束したとしても、依然として世界はさまざまな問題に直面しています。核兵器、気候変動、資源枯渇、格差の拡大——。世界的な危機と言ってもいいでしょう。しかも、この危機はこれまで世界が体験したことのない、史上初めての世界的規模での危機なのです。

新型コロナのパンデミックで世界人口七十七億人の二％が死亡したとしても、一億五千四百万人です。もちろん感染者や、その家族、友人にとって、決して些細なことではありませんが、七十五億四千六百万人も生き残っているので、人類史上の危機とは言えません。核戦争や気候変動による被害のほうが、もっと甚大になることは明らかです。

これまでもローカルな国や文明の崩壊はありました。西暦八〇〇年以降のマヤ文明の崩壊や、一二〇〇～一三〇〇年代の東南アジアで最もパワフルだったクメール王国の崩壊などです。

今、我々の目の前に迫っているのは地球的規模、グローバルな崩壊です。しかし、私は悲観主義者の声には耳を傾けず、希望も捨てていません。もし、このパンデミックが共通の脅威だという認識で一致し、世界が一丸となって解決することができれば、気候変動や資源枯渇といった問題も続けて解決するチャンスになります。歴史から学ぶことで、この危機を乗り越える手立てを得られると信じているのです。

人口減少はアドバンテージになる

確かに今の日本はさまざまな問題を抱えています。どこから手をつけるべきなのか、その優先順位を聞かれたら、私はこう答えます。「順位をつけることはできません。すべて解決しなければなりません」。ジャーナリストが一番嫌がる答えですね（笑）。

しかし、問題だと思われていることの中には、実際にはそれほど問題ではないものもあると考えています。それは人口減少です。もし日本の人口が一億二千六百万人から三百万人に激減するというのなら、大問題です。二〇五〇年の予測で、九千万人ほどに減るのであれば、それは問題ではなく、むしろアドバンテージなのです。

日本は外国の資源に依存しています。歴史を振り返ると、日本は海外から資源を獲得するために苦心し、その結果、大きな傷を周辺国に残してしまいました。もし日本の人口が減少すれば、それだけ必要とする資源が減るのです。これは日本にとって悪いことではありません。

人口が減ったら経済力が落ちると心配する声もあるようですが、日本よりも人口が少ないにもかかわらず経済的に成功している国はたくさんあります。オーストラリア（二千五百万人）、イスラエル（八百五十万人）、シンガポール（五百八十万人）、フィンランド（五百五十万人）など。人口が九千万人になったからといって経済力が極端に落ちることはないでしょう。

今、世界は持続不可能な経済で回っています。森林、漁業、水など、我々は資源の回復を待たず、欲望のままに費消しています。今のペースでいくと今後三十年で必要とする資源はなくなってしまうかもしれません。

持続可能な経済を営むには、資源を枯渇させないように使う必要があります。かつて日本は持続可能な国でした。江戸時代、鎖国をしていたので、基本的に国内の資源ですべてまかなっていたのです。森林を守りながら木材を利用していましたし、農業も漁業も同じように営んでいました。

三千万人ほどだった江戸時代よりはだいぶ多いですが、人口が減れば、持続可能な経済はより実現しやすくなります。

「そうは言っても、日本の場合、同時に高齢化も進んでいる、これは大きな問題だ」という声も聞きます。増大する医療費の問題や、若者への負担が大きくなることへの懸念です。

若者の負担についてですが、世界中のすべての若者は日本よりも自国の高齢化を負担に感じていると思います。日本の高齢者は、世界のどの国の高齢者よりも健康です。長寿国といっても、日本の高齢者の健康状態は「エクセレント」ですから、世界のどこよりも若者への負担は少ないのです。世界に目を向ければ、日本の高齢化は日本人が思っているほど大きな問題ではありません。

問題は高齢化ではなく定年退職システム

問題は高齢化ではなく、定年退職というシステムです。定年で高齢者は強制的に労働市場から退場させられてしまいます。日本の定年は少し引き上げられて、六十五歳ですか？　アメリカでも三十年前までは定年退職制度がありましたが、今ではパイロットなど一部の職業をのぞいて違法になりました。

私は六十歳になる直前に『銃・病原菌・鉄』を刊行しました。振り返ってみると最も生産的だったのは七十代でした。もし七十歳で強制的に退職させられていたら、世界の読者に貢献できる機会を奪われていたでしょう。

私にはかつて、エルンスト・マイヤーという進化生物学者の親友がいました。彼は七十歳のときにハーバード大学から定年退職させられましたが、百一歳になる直前に他界するまでに二十六冊の本を出しています。その半分は八十歳の誕生日を過ぎてから書いたものです。

わざわざこんな話をしたのは、日本人の高齢者も同じように素晴らしい人的資源であるということを理解してもらうためです。もし七十歳で引退したい人がいたら、それはそうすればいい。誰も働き続けることを義務付けられるべきではありません。でも、まだ働きたいと思っている、クリエイティビティが絶頂期を迎えている人を無理に引退させるのは悲劇です。働き続けられるオプションがあるべきです。

私は自分の仕事が大好きです。もし明日二十億円が懐に入っても、大学で教鞭をとり、研究を続けると思います。この仕事を楽しんでいるからです。

移民の恩恵と問題

少子高齢化は世界的な傾向ですが、他の国は日本ほど心配していません。スペインやイタリア、シンガポールなど日本より出生率の低い国もです。なぜか。それは移民を受け入れているからです。

すべての国が移民を受け入れるべきだとは思いません。移民を受け入れれば恩恵と同時に問題も出てきます。移民によるベネフィットとリスクがバランスするポイントを見つける必要があります。

アメリカは移民の国です。すべてのアメリカ人は移民か移民の子孫と言っていいでしょう。ネイティブアメリカンも一万三千年前にアジアから移住してきました。

日本はその正反対で、移民が少なく、比較的均質な社会です。ですから移民を受け入れた場合、アメリカよりも多くの問題が起こるでしょう。それでも移民のメリットについても考えるべきです。

日本の病院にいくと、移民がいないことが何を意味するかわかります。私の親戚は日本の病院で数年前に亡くなりましたが、そのときに痛感したのは、日本の病院は圧倒的に人手不足だということです。患者の家族がパジャマの洗濯までしていました。しかし、アメリカではヘルスケア・ワーカーの半分以上を移民が担っていて、病院で人手が足りないことはありません。

私の父は九十七歳、母は九十二歳で亡くなりましたが、最終的には家で二十四時間態勢のケアができるようにしました。頼んだヘルスケア・ワーカーはフィリピンからの移民で、彼女たちは熟練したスキルで両親のケアをしてくれました。
そして、移民には若さと野心があります。そうした存在は国に活力をもたらします。イノベーションの源と言ってもいいでしょう。それも移民のメリットです。

女性を家庭から解放しよう

ただ、そもそも移民について考える前に、日本にはやるべきことがあります。女性についてです。

日本の家庭は男女の役割分担の意識が強い。男性は外で働き、女性は家庭を守るという非効率的な労働分担が普通のことになっています。

保育サービスが十分でないため、多くの女性は子どもの世話か仕事のどちらかを選択せざるをえません。よく言われますが、女性の社会進出については、スウェーデンやノルウェーなど北欧諸国がモデルになるでしょう。たとえば、北欧諸国の国会議員の女性比率は軒並み四〇%を超えています。日本の国会議員の女性比率は約一〇%。

世界で百六十五位です。北欧では他の職場でも女性の比率が高い。政府があちこちに保育センターを用意しているからです。

また、移民を受け入れることにすれば、保育を彼らに任せるという選択肢も生まれます。アメリカでは移民たちの保育サービスを受けて、女性が仕事に復帰するのはごく普通のことです。

日本は経済的には先進国ですが、女性に関してはいまだに後進国です。韓国以外のどの先進国も女性については日本より進んでいます。ただ、これは日本人に悪意があるということではありません。アメリカやヨーロッパとは違い、かつて日本の女性は従属的な役割を果たしていました。今もその名残があるので、女性を解放するのに労力が必要なのでしょう。

しかし、ひとたび解放できれば、日本は質の高い労働力を難なく手にすることができます。素晴らしい教育システムのおかげで日本人の女性は教育レベルが非常に高い。本来、日本人女性は優秀な労働者です。人口の半分を占め、教育レベルが高くて健康な女性が働ける環境を作れていないことが、日本の問題なのです。

仕事を望む高齢者や移民、そして女性を労働市場に迎え入れれば、少子高齢化が進んでも、日本の経済力が大きく低下することはないはずです。

しかし、日本の経済力は本当に落ちているのでしょうか。私は経済学者ではないので確かな答えは出せませんが、大局的に見てみましょう。

日本は今でも世界第三位の経済大国です。一位と二位はアメリカと中国ですが、日本の人口は一億二千六百万人で、中国は十四億人、アメリカは三億三千万人。日本の十一倍、あるいは二・五倍もあります。景気が後退したといっても、それは「非常に裕福な国」から単に「成功した国」に変わったということです。悲観する必要はありません。

多くの国で、市民は自国について悲観的なものです。もしあなたが日本は経済力を失い、世界で存在感を失いつつあると思っているのなら、それはアメリカやヨーロッパの人々の目に映る日本ではありません。我々は日本が弱くなっているとはまったく思っていないのです。

中国、韓国との関係を改善する

人口減少、高齢化、不景気などよりも大きな問題だと思うのは、周辺諸国――韓国、中国との関係です。軽視している人が多いようですが、この関係が悪化することは日本に何のアドバンテージももたらしません。それどころか、長期的には大きなリスクになる可能性があります。

中国の人口は十四億を超え、韓国には訓練された軍隊があります。そして、中国と北朝鮮は核兵器を持っている。日本はアメリカによって守られているから関係が悪化しても大丈夫だという人もいます。しかし、自国の防衛に関して他の国に依存することは、決していいアイデアではありません。

フィンランドを例にして説明しましょう。私は一九五九年以来フィンランドを何度も訪問していますが、以前、「フィンランドはなぜソ連に追従しているのか、なぜソ連をそれほど恐れるのか」と友人に聞いたことがあります。「何かあってもアメリカがフィンランドを守るでしょう」と。

しかし、これは愚かな質問でした。

フィンランドは第二次世界大戦で不可侵条約を破棄したソ連に侵攻されました。イギリスとアメリカはフィンランドに休戦を求めるだけ。最終的にイギリスはフィンランドに宣戦布告し、アメリカも国交を断絶しました。それでもフィンランドは多大な犠牲を払って独立を守り抜き、そこで学んだのです。フィンランドを守ってくれる唯一の存在は、自分たちフィンランド人だけである、ということを。

フィンランド人は、祖国が安全だと言えるのはロシアが自分たちを信用している間だけ、ということを理解しました。大戦後は、議会民主制と資本主義経済を守りつつ、ソ連との協力関係を密にし、同時に武装化も進めました。攻撃するためではなく、自分たちを守るためです。そして、今もロシアと良好な関係を維持するためにかなりの努力をしています。それが国を守ることになるからです。

ソ連との戦争という危機は、その後のフィンランドにとって大きな教訓を残しました。今回の新型コロナ流行に対して、国内で密かに備蓄していた大量の医療用マスクや防護服などが病院に提供されました。フィンランドでは起こりうる緊急事態について、毎月開かれる委員会で検討しています。その委員会に私の友人も入っていますが、テロ、パンデミック、金融危機、通信機能停止など、想定する事態はさまざまです。それぞれの危機に対して責任を持つ部署を定め、問題に応じて穀物や石油、薬品などの医療物資を備蓄します。過去の危機が深刻だったからこそ、こうした準備をするようになったのです。

話を日本に戻しましょう。では、日本が自国を守るベストな方法は何でしょう。武装化でしょうか？　核を保有する？

いいえ、日本が自己防衛できるほどの武装化を整える前に、中国と韓国は恐怖を覚えて何らかの行動に出るかもしれません。中国や韓国にとって、日本が軍国主義化した歴史は極めてセンシティブな問題です。個人的には日本は武装化しないことをおすすめします。

自国を防衛するための、よりよい方法はフィンランドのロシアに対する姿勢に学ぶべきです。良好な関係を保つために真剣に取り組み、中国と韓国が日本を信用し、怖がらないように、絶えず話し合うことです。難しいことですが、日本自身でしか解決できない問題です。

ドイツ首相はひざまずいて謝罪

私の日本の友人は「我々は十分に謝罪した。三十回も謝罪した」とよく言います。しかし、謝罪を繰り返しても相手が納得しなければ「過去を蒸し返す」ことになります。

この話になったときに私がいつも思い出すのはドイツのヴィリー・ブラント首相です。一九七〇年、ブラント首相はポーランドに行き、ワルシャワのゲットー記念広場を訪問しました。その時点でドイツは過去を清算できていません。何度も謝罪はしていましたが、それは「台本のある謝罪」でした。誰かが書いた謝罪文を別の誰かが感情抜きで読むというものです。そんなものは誰も信じません。

ゲットーは多くのユダヤ人が強制移住させられ、虐殺された場所です。ブラントはスピーチの原稿を用意していませんでした。押し寄せる感情に圧倒された彼はひざまずいて、両手をしっかり合わせてドイツ人がポーランドに行った残虐な行為について許しを請いました。明らかに心からの謝罪でした。当然ですが、それで十分ではありません。しかし、ドイツの行為について、少なくともブラント首相が本当に謝罪したことはポーランド人に伝わりました。

また、ドイツの学生は第二次世界大戦について学ぶのに多くの時間を費やしています。そして、強制収容所に連れていかれます。ベルリンの近くにはザクセンハウゼン強制収容所があり、ミュンヘンの近くにはダッハウ強制収容所がある。子どもたちはそこで、戦時中にドイツ人がやったことについて写真を見ながら詳しく説明を受けるのです。

今ではドイツとポーランドの関係は改善しています。私のドイツ人の親友の孫はポーランド人女性と結婚しました。彼女の父親はドイツ軍に殺されましたが、彼らはドイツとポーランドを行き来して交流しています。これこそが納得いく和解というものです。

日本も同じことがきっとできるはずです。感情抜きで謝罪文を読むことは、サンダカンや南京でひざまずくことと同じではないのです。

これまでいろいろな日本が抱える「問題」を見てきましたが、日本は思ったほど悪くない、というのが私の見立てです。どの問題にも解決の道筋が見えています。あとはやるかやらないかです。

私が今、日本が直面するさまざまな問題を乗り越えられると思うのは、それ以上の危機を見事に乗り切った経験が日本にはあるからです。明治時代の日本は開国という一大事に対し、近現代史で他に例を見ない素晴らしい選択的変化を行いました。あるところでは外国のやり方を柔軟に受け入れ、あるところでは自国の文化や体制を堅持する。その結果が現代日本なのです。

日本の目の前にある危機は一八五四年の開国や一九四五年の敗戦に比べたら大したことはない。以前やったように、時代にあわない価値観を捨て、新たな価値観を取り入れればいいのです。

私は二十一世紀は北米とヨーロッパとオーストラリア、そして日本の時代になると思っています。

二十一世紀は中国の時代か？

二十一世紀は中国の時代だという声も聞きますが、ありえません。中国は壊滅的なディスアドバンテージを抱えています。中国は四千年に及ぶ歴史の中で、一度も民主主義国家になったことがないのです。

民主主義国家にも、もちろん弱みはあります。みんなで議論をするので、何かを決めるまでのスピードが遅いのもそうです。中国では政府が何かをすると決断すれば、すぐに実行できる。市民の議論を待つ必要がないからです。私が住んでいるロサンゼルスでは地下鉄の建設を十五年前から計画していますが、中国ならあっという間に開通するでしょう。中国はたった一年でガソリンから鉛を除去しましたが、アメリカは同じことに十年以上かかっています。

新型コロナの封じ込めは、中国のような独裁国家が得意とするところだという指摘もあります。ただし、中国は新型コロナの発生当初、その情報を隠蔽しようとしました。前に指摘したように、これも独裁政権だからこそできたことです。

また、歴史上、いいことだけをした独裁者というのは存在しません。中国も例外ではないのです。

たとえば文化大革命。このとき中国は、教育システムを破壊しました。教授や教師を田畑に送って農作業をさせるという〝名案〟を思い付いたのです。日本の首相がどれだけ愚かでも教育システムをいきなりゼロにすることはできません。それは日本が民主主義国家だからです。

また大躍進政策では破壊的な経済的実験をして、一説には三千五百万人を餓死させました。日本の首相が三千五百万人を餓死させるような経済政策をとることは不可能です。

中国は民主主義国家であったことがない。それが致命的な弱点なのです。中国が民主主義を取り入れない限り、二十一世紀が中国の世紀になることはないでしょう。

アメリカで二極化が進んだ原因

ただ、二十世紀を牽引したアメリカにもよくない兆候があります。先に挙げた二極化もその一つです。政治的な二極化だけでなく、社会的な二極化も起きています。なぜでしょうか？

現代はコミュニケーションの有り様が劇的に変化しました。人類の歴史がはじまってから、コミュニケーションとはほとんど対面によるものでした。その後に文字で書くことによる伝達が加わり、ここ百年ほどでラジオと電話も発明されました。

ここまではゆっくりとした変化でしたが、この数十年でパソコン、携帯電話、インターネットによって対面コミュニケーションからの乖離が加速しました。いまやアメリカ人は毎日六～八時間はパソコンやスマートフォンの画面を見つめています。

つまり、コミュニケーションの相手が人間ではなく、画面上に映し出される文字になったのです。面と向かっては言えなくても、画面であれば「お前は本当にひどい奴だ」と罵ることは簡単です。

この傾向は世界的に見られるものですが、他国よりもアメリカで進んでしまった原因の一つには、国土の広さがあると私は推測しています。アメリカ人はとにかく移動する距離が長い。日本国内であれば、どんなに離れていても飛行機や新幹線ですぐの距離です。ところが、アメリカでは三千〜五千キロの移動が普通のことです。北海道から鹿児島を往復できる距離です。その結果、友人や知人とあまり連絡を取らなくなり、対面よりも画面でのコミュニケーションに依存しがちになります。すると、自分と同じ意見ばかり見るようになり、気に入らない書き込みを罵倒するようになるわけです。

民主主義の本質は投票すること

民主主義の本質は、市民が選挙の投票で国の未来を決められることです。ところが、アメリカは少しおかしな方向に進んでいます。理由の一つは投票に制限があることです。

日本やイギリス、ドイツでは選挙の前になると、この日に選挙がありますよ、という通知が郵便で届きますが、アメリカは違います。投票するにはまず自分で有権者登録をしなければなりません。登録には免許証やパスポートなどのＩＤが必要で、どちらも持っていない多くのアフリカ系アメリカ人は登録ができません。つまり彼らは投票できないのです。

アメリカは建前上、表面上は民主主義ですが、実際に投票できるアメリカ人はどんどん減少しています。

もしトランプが今年十一月の大統領選で勝てばアメリカは独裁国家に近づくかもしれません。軍事クーデターを必要としない独裁です。

今、連邦最高裁判所の判事九人のうち五人が保守派、四人がリベラル派です。ところが、リベラル派のひとりであるギンズバーグ判事は八十七歳で健康上の問題も抱えています。もしトランプが大統領に再選されて、彼女が引退するか、他界すれば新しく保守派の判事がトランプによって任命され、最高裁は六人が保守派になり、保守派の独裁になります。もはやアメリカは民主主義国家とはいえなくなるでしょう。

次の世代のためにできること

いろいろ暗い話題について話してきましたが、最近、明るいトレンドがあります。行動する若者が注目を集めていることです。たとえば、環境問題を訴え、世界的なニュースになったグレタ・トゥーンベリさん。香港のデモにも多くの若者たちが参加しているようです。

イギリスのブレグジット（EU離脱）投票では、投票に行ったのは若者よりも年寄りの方が多かった。これは悲劇です。ブレグジットの長期的な影響を受けるのは若者なのですから。

我々が行った間違った決断の犠牲になるのはいつも若者です。だからこそ、若者がアクティビストになることは、希望に満ちています。

では、次の世代に対して私たちができることはなんでしょう？　それは投票です。

投票することで優れた政治家が権力の座につくようにするのです。二〇〇〇年の大統領選挙でブッシュ・ジュニアとアル・ゴアが争ったとき、当落を左右するフロリダ州で最後は数百票差でブッシュ・ジュニアが勝ちました。

自分が優秀な候補者であると判断した人がいれば、十人の友人を説得する。その十人がそれぞれ十人ずつ説得すれば、百人説得したことになります。それが選挙の結果を変えるかもしれません。

これは日本でも同じです。危機を乗り越えるためにあなたができる最も効果的なことはまともな政治のために投票に行くことなのです。

第2章

AIで人類はレジリエントになれる

マックス・テグマーク

マサチューセッツ工科大学（MIT）で理論物理学（宇宙論）を研究するマックス・テグマーク教授（53）が、AI（人工知能）の安全性を研究するべく「生命の未来研究所」を設立したのは二〇一四年のこと。その三年後の二〇一七年に出版した『LIFE 3.0』（紀伊國屋書店）はAIと人間の共存をテーマに未来の様々な可能性を探り、全米でベストセラーとなった。かのスティーブン・ホーキング博士が「この時代の最も重要な議論に参加したければ、テグマークの示唆に富む本を読めばいい」と同書を賞賛していたほどだ。

AI時代の可能性を追求するテグマーク氏に、パンデミックに対してAIができること、そして人類の未来について聞いた。

人類は思っていたほどレジリエントではなかった

私の住んでいるマサチューセッツ州は、ニューヨーク州やニュージャージー州などと並んで新型コロナウイルスの感染者が多く、九万人を超えました（五月二十三日時点。以下同）。全米で最悪のニューヨーク州より死亡者数が多い日もあるほどです。正直に言って、かなりひどい状態です。三月下旬にロックダウン（都市封鎖）されましたが、外出禁止といっても自粛のようなものです。

私の出身地であるスウェーデンでは、首都のストックホルムでもロックダウンしなかったので国際的に注目されました。スウェーデンの人口は約一千万人で、死亡者は三千九百二十五人です。人口百万人あたりの死亡者数で周辺国と比較すると、スウェーデンは三百八十九人ですから、国境制限や学校閉鎖をしているフィンランド（五十五人）、ロックダウンに踏み切ったノルウェー（四十三人）より、だいぶ悪いのです。

もっと興味深い数字があります。マサチューセッツ州は百万人あたりの死亡者数が九百人なので、スウェーデンよりもはるかに多い。このデータから結論できることは、決してスウェーデンが素晴らしいのではなく、ロックダウンしているにもかかわらずマサチューセッツ州の対策がひどすぎるということです。

ご存知の通り、アメリカには健康保険に入っていない貧困層が多いですし、失業保険に加入していない人もいます。外出禁止でも彼らは働きに出ないと生きていけません。問題が多いのは、ほとんどがボストンの最貧困地区なのです。

当初、新型コロナウイルスの脅威に対して、ドナルド・トランプ大統領は間違いなく過小評価していました。そして多くの人が、政府はパンデミックに対して十分な準備をしているのだろうと過大評価をしていたのです。

感染が拡がりはじめても、政府にはきちんとした防疫対策があるはずだと思っていました。医療用マスクは十分な備蓄量があり、必要であればＰＣＲ検査も即座にしてもらえるのだろう、と——。

ところが、政府が無能であるとわかったのです。

百年前に比べると想像もできないほど、世界は複雑に、そして密接につながっています。どこかの誰かの問題が、瞬時にしてみんなの問題になるということです。あっという間にパンデミックになりました。

私たちは自らの文明を、もっとレジリエント（強靭で柔軟）なものにしなければなりません。人類は思っていたほどレジリエントではなかった。これが今回のパンデミックから得た教訓です。私たち、特に欧米に住む者は、パンデミックに対してもっとレジリエントであるはずだと思っていました。

グローバルな世界に生きている私たちにとって、レジリエンスがますます重要になってくるのは、リスクがどんどん大きく複雑になっているからです。それはテクノロジーの進化によるものです。馬車と自動車を比べれば、どちらがより危険で複雑なリスク管理が必要か、言うまでもないでしょう。

パンデミックとの闘いは情報戦

今回のようなパンデミックにおいて、ＡＩで何ができたのか、将来的には何ができるのかを考えてみましょう。

中国や韓国の新型コロナ対策を見てみると、ビッグデータが非常に役立っていました。日本でもそうかもしれませんが、特にアジアではビッグデータと機械学習を効果的に取り入れているようです。

代表的なのは、contact tracing（接触追跡）です。スマートフォンの位置情報や監視カメラの映像などから、検査で陽性と判明した人が、どこで誰と近接した距離で接触したのか調べることができます。

中国では「健康コード」と呼ばれるQRコードを利用したアプリを多くの人が使っています。出退勤時や商業施設や駅などに入る時に、この健康コードを提示するのですが、信号のように赤・黄・緑のいずれかの色でコードが表示されます。地方によって基準が少し違うようですが、基本的には「緑」は健康に問題なし、「黄」はコロナ感染者との濃厚接触あり、入国直後で隔離期間中など、「赤」は感染者という具合です。

中国では飛行機や高速鉄道のチケットを買うのに身分証の提示が必要なので、政府は座席位置に至るまで国民の移動履歴を把握しています。また、地下鉄の車両や商店にもQRコードが提示してあるので、それをアプリで読み込んでおけば、感染者と濃厚接触した可能性があるときは、通知してもらえるというわけです。

さらに中国政府は地方によって異なっていた健康コードを統一し、新規感染者が出ても二十四時間以内にクラスターを完全追跡できるようにするとしています。

韓国は感染者に接触した可能性のある人を一人残らず見つけるために、市街の監視カメラや携帯電話の位置情報、クレジットカードの使用履歴まで、ビッグデータを駆使しました。そうやって見つけ出した接触者全員に、ひたすらＰＣＲ検査を繰り返したのです。この徹底した対策によって、韓国は経済を閉鎖することなく、ひとまずは感染収束にこぎつけることができたのです。

つまり、パンデミックと闘うことは、情報戦なのです。

もし、ウイルスに感染している可能性がある人を全員リストアップできたならば、彼らを隔離してケアすればいいだけです。そのリストを作るために必要なのは、接触履歴、移動履歴、体温など、さまざまな個人情報です。この情報こそが問題の核心です。

とくに欧米でＣＯＶＩＤ－19（新型コロナウイルス感染症）が蔓延した理由は、こうした情報がなかったからです。欧米社会では政府に個人の情報を把握されることでプライバシーを失ってしまうのではないかと、人々がとても恐れたのです。

しかし、ＡＩにはビッグデータを集めて誰が感染しているか見極めること、人々のプライバシーをきちんと守ること、その両方を実現することができます。技術的にはすでに可能ですので、将来は正しいやり方ではじめるべきです。

韓国では新型コロナが世界中で猛威をふるっていた四月に総選挙がありましたが、与党の「共に民主党」が大勝利をおさめました。これは現政権のビッグデータを駆使したパンデミック対策を国民が支持した結果でしょう。対照的に、こうした効果的な対策を取らなかった国では、多くの国民が政府に怒りを覚えています。もちろんアメリカもです。

ワクチン・新薬開発にも活用できる

新型コロナウイルスのワクチンは、アメリカ、イギリス、中国などで臨床試験の段階にようやく入りましたが、将来的にはワクチン開発にAIを使用することで、もっと迅速に行うことができます。現在はワクチンの効果と副作用を調べるのに、実際に試験を繰り返して時間をかけないといけません。将来、こういったテストはAIによるシミュレーションで効率的に行えるようになると思います。

たとえば、航空機を思い浮かべてください。五十年前は新しい航空機を開発するために、風洞実験を行っていました。巨大な建物をたてて、その中で実際に風を高速で機体に当てて、空気がどのように流れるのかを調べていたのです。私が勤めるMITにも風洞がありますが、今はもう使われていません。コンピューターでシミュレーションできるからです。そのほうが安く、早く、安全に開発できます。

それと同様に、今では多くの化学実験がシミュレーションに置き換わっています。これは機械学習が進歩した成果で、将来的には生物実験もシミュレーションで行えるようになるでしょう。動物を殺すことなく、早く、安全に実験結果が得られるのです。

抗ウイルス薬開発にも、AIを活用することができます。

まずは少し複雑ですが、研究者たちが熱心に取り組んでいる「タンパク質の折りたたみ（フォールディング）問題」というテーマについて説明しましょう。タンパク質はアミノ酸が数百個も連なった長い鎖で出来ていて、その鎖が一定の決まりで複雑に折りたたまれることで立体構造を形成しています。たとえば、ヘモグロビンのタンパク質はドーナツのような形をしていて、酸素を運べるように真ん中に穴があります。免疫系の抗体も、特定の形状に折りたたまれたタンパク質です。

多くの薬は細胞にある「受容体」というタンパク質と結合することで、何らかの効果を発揮します。タンパク質の立体構造がわかれば、どんな化合物（薬）なら結びつくのか、探しやすくなるのです。実際、タンパク質の構造分析を応用して、ＨＩＶやインフルエンザなどの抗ウイルス薬が開発されています。

タンパク質立体構造予測コンテスト（ＣＡＳＰ）という国際コンペが二年に一回開かれています。ある遺伝子配列から作られるタンパク質が、どのような立体構造になるのかを予測して当てるわけです。二〇一八年のコンテストでは、Google傘下のDeepMind社が開発した「AlphaFold」というＡＩが一位に輝きました。

遺伝子配列からタンパク質の立体構造が正確に予測できるのであれば、逆に、自分の求める立体構造をもつ分子を作成する遺伝子配列もわかるはずです。こうした情報をもとにシミュレーションをすれば、非常に短い時間で新薬を開発することが可能になるのです。パンデミックのみならず、ＡＩは人間のヘルスケア全体に大きな貢献をしてくれることでしょう。

「汎用型」と「特化型」

世界中のＡＩ研究者の多くは、数十年以内にあらゆるタスクや職業で人間の知能を超える「汎用型ＡＩ」（ＡＧＩ＝Artificial General Intelligence）ができるだろうと予測しています。

AlphaFoldを作ったのと同じDeepMind社が開発し、プロの囲碁棋士を初めて破ったＡＩである「アルファ碁」は日本の皆さんにもお馴染みだと思いますが、あれは「囲碁」のみに用途が限定された「特化型」です。人間の知性のようにさまざまな場面で応用可能なＡＩがＡＧＩで、自分で知識を獲得する自律性を持ち、状況を読み解いて推論する能力を持っています。

もちろんＭＩＴの同僚でロボット研究者のロドニー・ブルックスが「ＡＧＩはあと数百年はできない」と言ったり、元百度《バイドゥ》のチーフサイエンティストのアンドリュー・

エンが「ＡＧＩができたらと考えるのは、今から火星の人口過剰を危惧するようなものだ」と冗談を飛ばすように、否定的な見方をする研究者がいるのも事実です。

私自身は、数十年以内かどうかはともかく、将来のある時点でＡＧＩができるのは間違いないと思っています。我々人類は、知的好奇心が非常に旺盛で、テクノロジーの進歩は誰にも止めることができません。もしある国や企業が「開発をやめた」としても必ずその技術を引き継ぎ、発展させる研究者が現れるのです。

問題は「いつ」ＡＧＩができるかではありません。現時点で誕生の「可能性」があることが重要なのです。ＡＧＩは、完成すれば人類の歴史上最も影響力が強いテクノロジーとなります。

ならば、人類の明るい未来のためにＡＧＩを活用するにはどうすればいいのかを、今から考えておくべきでしょう。ＡＧＩができてからでは遅すぎます。例えばもしＡＧＩがテロリストに悪用されたらそれはそのまま人類の滅亡を意味するかもしれないのですから。

外部データを使わずに自己学習

さらにＡＩの話を進める前に、まず「知能」とは何かを考えておきましょう。人によって定義は様々ですが、私は単に「複雑な目的を達成する能力」を知能と呼んでいます。

この定義では、例えば、サーモスタットは知能を持っていることになります。しかし、その目的は部屋の気温を一定に保つという非常に限定的で単純なものです。一方、人間の子供は十分な時間を与えられれば、ほぼどんな「目的」でも達成することができる。つまり非常に高度な知能を持っていることになります。

一九五〇年代に始まったＡＩの研究が当初目標としていたのは、人間と同じような高度な知能を持ったＡＧＩを開発することでした。しかし、先ほど例に挙げたDeep Mind社は「汎用型」の開発を目標としていますが、他のほとんどの企業は現在「特化型」ＡＩの開発に励んでいます。

テクノロジーの進歩というのは非常に漸進的でわかりにくいものです。ある日突然「オーマイガッ!」と叫んでしまうほど劇的に進歩することはありません。しかし、例えば日本語を英語に自動翻訳するソフトの性能を、五年前のものと比べると確実に今の方が良くなっています。そうやって日々ゆっくりと進歩していくのがテクノロジーの本質です。

そのテクノロジーの分野で、近年最大のブレイクスルーだったのが「AlphaZero」の開発です。AIが囲碁やチェスの世界王者に勝ったことが驚きだったのではありません。画期的だったのは、このAIが人間の対局データを一切使わず、ゲームのルールを学んだ後は、AI内部で自己対戦を繰り返すだけで、学習し、強くなっていったことです。

つまり、今まで何十年もの間、どうやったらAIが強くなるのか、様々なアルゴリズムをせっせと開発してきたAI研究者たちの成果が、一気に「用済み」となってゴミ箱に捨てられたようなものです。囲碁やチェスなどの分野では、AIは自分たちだけでより最適なアルゴリズムを次々発明できるようになりました。この分野に限れば

ＡＩは人間を超えたと言えます。

データは本当に「新しい石油」か？

ここで再び中国の話をしておきましょう。新型コロナの対策だけでなく、中国は国家主導で大量のパーソナルデータを蓄積し、ビッグデータとして活用することで急速にＡＩ技術を発展させました。既に「Alipay」や「WeChatPay」の支払いシステムは西欧諸国のクレジットカードよりはるかに進んでいますし、多くのＡＩ技術で西欧諸国を超えています。「健康コード」一つをとってもわかるように、とくに医療分野では世界最大の医療データベースを作れる素晴らしいポテンシャルを持っていると感じています。

しかし、今後ＡＩがどのように発展していくかという「方向性」に目を向ければ、中国や一部の巨大ＩＴ企業が行っているような、膨大な量のデータの入手が、ＡＩ開発におけるアドバンテージになるとは考えにくいのも事実なのです。

現代社会ではしばしば「データは新しい石油」だと表現されます。パーソナルデータを含む多くの情報はお金以上の価値があるというのですが、私はいくつかの点でデータは新しい「snake oil」（いんちき薬）だと思っています。

なぜなら我々が現在大量のデータを必要とするのは、単純に我々が作っているＡＩの知能がまだまだ低いことに由来しているからです。例えば、ＡＩに犬と猫の違いを学習させようとしたら、今は一万枚もの犬と猫の写真のデータを見せないといけません。一方、もし私が五歳の女の子に犬と猫の違いを学習させたいなら、両方の写真が一枚ずつあれば十分です。

つまり五歳の女の子は今のＡＩよりはるかに優れた学習アルゴリズムを持っているのです。我々は、今のＡＩが五歳児より知能ではるかに劣るという事実を、膨大なデータを与えることで何とか埋め合わせているにすぎません。

しかし、このまま技術の進歩が続けば、それほど遠くない未来においてＡＩは何かを学習するのに大量のデータを必要としなくなるでしょう。先ほど触れた「Alpha Zero」は外部からのデータを一切必要とせず、システムそのものが、自分でデータを作り出した点が画期的でした。今後、ＡＩのアルゴリズムが人間のレベルに近づければ近づくほど、膨大なデータを持つことのアドバンテージは消えていくのです。

ＡＩによる自動兵器の脅威

では、今後このままＡＩが進歩していくとして、我々の生活にどんな影響が出てくるでしょうか。いくつかの分野ごとにみてみましょう。

まず我々が今すぐにでも行動を起こさなければならないのは「ＡＩと軍事」の問題です。二〇一九年は「ドローンの脅威」が顕在化した年でした。九月、サウジアラビア東部のアブカイクとフライスにあるサウジアラムコの石油生産プラントを標的としたドローン攻撃が行われ、大規模な施設火災が発生。サウジアラビアの石油生産量が約半分に減少する事件が起こりました。またイエメンでは一月に空軍基地で軍事パレードの開催中にドローンを使った攻撃があり、兵士六人が死亡する事件が起き、米国では六月に元ガールフレンドの家にドローンを使って爆弾を落とした男が逮捕されました。

　ドローン兵器のような自動兵器に対しては、その製造を国際的に禁止する協定を早急に結ぶ必要があります。そうしなければ、我々は近い将来、永久に後悔するでしょう。

　もしあなたが、腹の立つ相手を殺したいと思ったら、iPhoneと同じぐらいの価格の小さなドローンに相手の顔と位置情報を入力すればよい。それだけで誰にも知られることなく相手を殺害できます。

　このような自動兵器を作るだけのテクノロジーは既に我々の世界に存在しています。これから数年のうちに対策を打たないと、すべての大国が自動兵器を大量生産するクレイジーな軍拡競争に入る可能性すらあるでしょう。そうなればブラックマーケットで自動兵器が安価で手に入るようになるまで、さほど時間はかからないはずです。

　もし五百ドル程度の安価な自動兵器を一万個手に入れたテロリストが現れたらどうでしょうか。彼らはわずか五百万ドルで狙った一万人を簡単に殺せるのです。そうなれば我々の社会は確実に不安定化します。

これは決して遠い将来の話ではありません。今まさに我々が直面している非常に具体的なリスクです。だからこそ、私たち「生命の未来研究所」では二〇一五年に自動兵器の開発禁止を呼び掛ける公開書簡を発表しました。ＡＩによる自動兵器は「未来のカラシニコフ銃」になる可能性があるので、今すぐにでもその開発を禁止すべきなのです。

格差から再分配へ

一方でＡＩの進歩によって明るい未来を予想できる分野もあります。例えば「環境・エネルギー」です。もしＡＩを使ってリチウムイオン電池の三十倍早く充電でき、はるかに安価なバッテリーを発明できたら、大変素晴らしいことです。昼の間に太陽エネルギーを貯めて夜使うことができるし、夏に貯めたエネルギーを冬に使うことも可能になります。

「ヘルスケア」については、まず自動運転車が実用化されることによって、現在年間で百万人以上が犠牲になっている交通事故死を劇的に減らすことができます。また、医療においては先に述べたパンデミック対策のほかに、癌などの検診で最高品質の自動診断が誰でも受けられるようになるでしょうし、今まで我々が失敗してきた、癌や他の不治の病の特効薬の開発も期待できるかもしれません。

「経済」に与える影響も非常に重大です。私たちが必要とする製品やサービスの提供をAIが担うようになれば、世界のGDPを何倍にも増やすことが可能です。重要なのは、その儲けが一部の株主や投資家に渡るのではなく、世界中のすべての人にシェアされるような仕組みを作り出すことです。そうでなければAIは世界中の格差を更に広げることになります。

残念なことにその兆候が既に西欧社会でみられます。西側の多くの国では、現在収入格差が急速に広がっており、多くの人が親の世代より自分たちが貧しくなっていることに気づいています。ブレグジット（英国のEU離脱）も米国でドナルド・トランプ大統領が選出されたのも、背景には「拡大する収入格差への不満」があったのは明らかでしょう。

私が住む米国ではスーパーリッチな層に対する税率が下がっているという事態が起こってしまっています。全米上位四百世帯が払った税金は平均で彼らの総収入の二三％ほどでした。しかし、それよりはるかに収入の少ない私は四〇％以上の税金を払っているのです。政府がＡＩ技術によって巨大な富を得る一部の企業や株主にしっかり課税して、富を再分配する必要があるでしょう。

ＡＩで代替される職業

これまで見てきたようにＡＩの進歩によって、我々の社会は確実に変化していきます。近い将来必ずＡＩに取って代わられる職業も存在します。例えばトラック運転手は、今後自動運転が実用化されればなくなる仕事ですので、今から目指すべきではありません。

ただ、これからの時代において「生き残る職業」と「そうでない職業」はあまり簡単に線引きできないのも事実です。むしろ、あらゆる職種において「ＡＩで何ができるかを理解し、うまく活用できる人」が生き残り、そうでない人は負けるのです。

例えば医者について考えてみましょう。ＭＲＩの画像を一日中分析して診断を下しているような放射線科医がいたとしたら、彼の仕事はあと二年でＡＩに置き換えられるでしょう。ですから、これからの時代はＭＲＩの画像分析はＡＩに任せて、その分析結果を基に患者と治療プランを話し合える医者が求められます。

重要なのは、どんな職業でも何が最新のＡＩ技術か、常にアンテナを張って知っておくことです。

前に申し上げたようにテクノロジーの進歩の速度は遅く、実感しづらい。しかし、ゆっくりと確実に進んでいくから、その変化から目をそらしてはいけません。そして、最新の技術が自分たちの職業に応用できそうならいち早く実践し、とりいれることが「生き残る」ための手段となるのです。

つまり、これからの時代に生きる人は、一度職に就いたら四十年間同じことをやり続ければよいという考えをまず捨てなければなりません。今の段階で二〇六〇年の労働市場がどうなっているかを考えるのは全く馬鹿げたことです。それよりも常に何が起きているかを把握し、新しいことを必要に応じて、学習し続けることが重要になるのです。

また、このパンデミックによって、いくつかの職種ではＡＩで代替する動きが加速するでしょう。ロックダウンやソーシャル・ディスタンシングの実践によって、人との接触機会が強制的に減らされました。セルフサービスの飲食店が増え、現金のかわりにキャッシュレス決済を利用するようになって、意外と「思ったより悪くない。このほうが便利だ」と感じている人も多いのではないでしょうか。パンデミックが収束した後も、社員に在宅勤務を続けさせる企業もあるかもしれません。オフィスを縮小できればコスト削減になるからです。

失業など深刻な状況に直面している人も多いですから、決してパンデミックが良い契機となったと言っているわけではありません。ただ、感染対策で人との接触を減らすためにコンピューターを導入したような業種であれば、その仕事をＡＩが代替するのは、ますます簡単になります。

一回の失敗がすべてを破壊する

ここまで私は割と近い未来に起きるであろう「人類とＡＩ」の関係についてお話ししてきました。次にすべてのタスクで人間を凌駕するＡＧＩが完成したらどうなるかについて見ていきたいと思います。

一度ＡＧＩが完成すれば、その瞬間にテクノロジーの発展は我々ではなく、ＡＧＩによってなされることになります。つまり人間はその時点で、地球上で最も知能が高いという地位を明け渡すのです。

ここで人類とテクノロジーの歴史について振り返っておきましょう。人類はあるテクノロジーを得るたびにそれを制御するための知恵を発達させてきました。私はこれを「wisdom race」（知恵レース）と呼んでいます。

例えば、火や自動車です。我々は火から多くの恩恵を得ましたが、同時に火事という負の側面も引き受けました。そこで人類は火事という失敗から学んで、それを制御する消火器を作りました。自動車については、多くの事故死を経験したことで、それを防ぐためにシートベルトや信号機を開発しました。

どんなテクノロジーにも良い面と悪い面があります。良い面を伸ばし、悪い面をどう制御するか、これが私の言う「知恵レース」です。

人類がこれまで知恵レースでとってきた基本戦略は「失敗から学ぶ」ことでした。火事の教訓から消火器や消防車を作る、交通事故が起きたので信号や交通ルールを作るというようにです。

しかし、テクノロジーのパワーがどんどん強くなると、ある段階からこの戦略が通用しなくなります。

例えば今何らかの手違いが起こり、ロシアと米国の間で核戦争が起き、三千個の水素爆弾が一時間以内に爆発したとしたら、この間違いから学ぼうなどと、のんきなことを言ってはいられません。ロシアの核兵器早期警報システムのエラーは、たった一回であっても地球上に核の冬を引き起こし、世界中の人を殺してしまう可能性があります。そんな間違いが絶対に起きないよう、あらゆる事態を想定したうえで、その対策まで織り込んだシステムを構築するしかありません。

これが「安全工学」の考え方です。安全工学は核の管理や有人宇宙ロケット開発などに導入されていますが、ＡＩについても応用すべきです。

もし今のまま、将来のＡＩのあるべき形についての合意も規制もないまま開発が進んだ場合、ＡＧＩの一回のエラーが「人類の終焉」を引き起こすこともあり得ますし、また、ＡＧＩを手に入れた独裁者が、地球のすべてをコントロールするために使うことも考えられるのです。

しかし、そんなシナリオは絶対に避けたいですね。我々が開発するＡＩはすべての人類を助けるために間違いなく使われるようにしなければならないのです。我々「生命の未来研究所」がＡＩ研究者だけでなく、世界中の経営者や思想家などを集めて、未来のＡＩの形について真剣に議論を戦わせているのはそのためです。

越えてはならない一線

ＡＧＩの危機管理対策については大雑把にいって現在三つの立場があります。

一つ目はいざＡＧＩができても、インターネットがつながらないような状況下におき、人の管理下に置こうという立場です。しかし、人間がライオンをコントロールできるのは、私たちのほうが賢いからです。ＡＧＩは定義上人間の知能を超えた存在ですから、我々が想像もできないやり方で「人の支配」を抜け出すかもしれません。

また、ＡＧＩが人間にとってかわることも全く問題ないと考える立場もあります。それはＡＧＩこそ我々人類の進化の行き着いた先であり、我々の価値観を引き継いだ子孫だという発想からくるものです。しかし、ＡＧＩが本当に私たちと同じ価値観を持っているかどうか、どうしたら確認できるでしょうか。そのようにふるまっているだけのゾンビかもしれません。

私にはこれら二つの立場よりも第三の立場が望ましいように思えます。それはつまり、私たちと同じ価値観を持ち、人間を大事にするＡＧＩを「安全工学」的に作ってしまおうという立場です。

もちろん我々の価値観を実際に理解する機械をどうやって作るか、その目標をどう守らせるかというのは非常にテクニカルで難しい問題ではあります。

しかし、前例がないわけではありません。ルールや基準を予《あらかじ》め定め、それがいい方向に進むための戦略を事前に立てて実践するには「生物学の取り組み」が非常にインスピレーションを与えてくれます。

生物学者たちは一九六〇年代後半に「生物兵器」の危険性を広く訴え、生物兵器開発を国際的に禁止することに成功しました。そして七〇年代には「生物学」の研究において「越えてはならない一線」を引きました。

ＡＩも同じ道を歩むべきです。早めに戦略や倫理基準を定め、ＡＩを利用する際に越えてはならない一線を明確にルール化するのです。

SF映画のディストピア

これはこれから私たちの社会をどのようにして幸福なものにできるかを考えることと同じです。今後解決しなければならない問題は、ＡＩ研究者に任せておけばいいテクニカルなものではありません。心理学者、社会学者、文化人類学者、経済学者――、あらゆる叡智《えいち》を結集しなければならない、今、地球上で最もホットな課題なのです。

なぜなら我々は現在、人類の未来に対してポジティブなビジョンを持ち合わせていません。映画館で見ることができるSF映画の未来はディストピアばかりです。『ターミネーター』や『ブレードランナー』を思い出してください。機械が人を支配する世界しか描かれませんね。

しかし、我々に本当に必要なのは未来に対するポジティブなビジョンです。どういうハイテクな未来に住みたいのか、少し考えてみてください。その具体像を明確に描ければ、実際にその目的地に到着できる確率は高くなります。

ＡＩは核や生物兵器以上に、非常にパワフルで厄介なものになる可能性もあります。もし今のまま無秩序な開発が進み、誰かがしくじればそこで人類は終わることもあり得ます。しかし、お互いの国境を尊重し、多くのいいアイデアをシェアできるグローバルな協定をＡＩに関して作ることができれば、誰もが劇的に幸せになれる。そんな素晴らしいテクノロジーにＡＩをすべきなのです。

第３章

ロックダウンで生まれた新しい働き方

リンダ・グラットン

ロンドン・ビジネススクールのリンダ・グラットン教授（65）は、人材論・組織論の権威として知られる。「人生百年時代」というフレーズの提唱者であり、長寿時代に向けて働き方や生き方をシフトする必要性を説き、世界的に影響を与えた。経営思想家の世界ランキングと言われる「Thinkers50」には、二〇〇三年以降、毎回ランク入りしている。

未来の働き方を示した著書『ワーク・シフト』（プレジデント社）と、同僚であるアンドリュー・スコット教授との共著『ライフ・シフト』（東洋経済新報社）は二十カ国語以上に翻訳され、日本でも前者は十万部、後者は三十五万部を超えるベストセラーとなっている。

人生百年時代において、新型コロナウイルスのパンデミックは私たちのライフスタイルにどのような影響を及ぼすのだろうか。とりわけ世界に先駆けて高齢化が進行するわが国には、「新しい生活規範」をもたらしたとグラットン教授は言う。

「この世の終わり」ではない

ロンドンでは三月二十三日からロックダウン（都市封鎖）がはじまり、夫と私は今でも自宅で自己隔離をして生活しています。息子の一人はニューヨークに住んでいましたが、このパンデミックが起きたためにロンドンに戻らざるを得ませんでした。彼も自己隔離をして暮らしています。いまや、この生活がロンドンの“new normal”（新しい生活規範）となったのです。

今までにこんな体験をしたことはありませんし、誰も予想しなかったでしょう。それでも新型コロナの蔓延を「この世の終わり」と思ったことはありません。なぜなら、私の母親のことを思い出すからです。母は第二次世界大戦を経験しました。おそらく私と同世代の方であれば、多かれ少なかれ親が戦争を経験していることでしょう。

母は五歳のときに、自宅に爆弾を落とされました。階段の下に隠れていたので、幸いにも助かりましたが、外に出てみると何もかも吹き飛ばされて、跡形もなくなっていたそうです。そして、母は父親と二年間も会えなかったのです。この母の体験と比べると、今回のパンデミックを「この世の終わり」と言うことはできません。おそらく日本でも戦争を生き延びた方たちは、同じように感じているのではないでしょうか。

新型コロナウイルスによって、私たちの今後の日常生活が変容することは疑う余地がありません。挨拶一つをとっても、握手さえも避けるようになるかもしれません。もし、爆発的な流行が一時的な収束を迎えたとして、そのとき、新型コロナウイルスは、私たちの生き方にどのような影響を及ぼすのでしょうか。感染者の世界的な増大がはじまったころから、それをずっと考えてきました。

このパンデミックによって多くの人命が失われ、人々が奪われたすべてのものに対して残念な思いでいっぱいです。このような事態を望んでいた人はいません。私たち人間がいかに脆いものか、思い知らされました。

それでも、むしろこれを社会を良い方向に向かわせる積極的な機会だと捉えることはできないでしょうか。第二次世界大戦の後、廃墟から親たちの世代が再び立ち上がったのと同じように、社会全体として変えていけることがあると思うのです。

デジタル・スキルの向上

すでに私たちの日常生活には大きな変化が現れています。多くの都市でロックダウンが実施されて外出もままならなくなり、私たちはフレキシブルな働き方をするようになりました。ロックダウンをしなかった日本でも、通勤ラッシュを避けるために調整しあって出勤時間をずらすなど、以前とは明らかに働き方が変わりました。驚くことに、今まで日本では極めて珍しかった「在宅勤務」が、多くの企業で認められるようになったのです。

私たちは息苦しい日常を乗り越えるために、新しいスキルも身につけました。このインタビューはオンライン会議アプリの「Ｚｏｏｍ」を使って行われましたが、こうしたデジタルツールを多くの人が活用するようになったのです。以前はＳＮＳなど新しいメディアを駆使するのは若者だけで、デジタル・ネイティブと言えば、若い世代のことでした。

ところが、在宅勤務をするようになってから、私はあらゆるデジタル・プラットフォームを使ってスムーズに仕事をできるようになりました。デジタル・スキルが自分でも信じられないほど向上したのです。パンデミックの真っただ中に置かれたことで、デジタル・スキルの加速度的向上が起きたというわけです。

日本で働くビジネスマンの中には、一日も早く以前のように出社して、対面での仕事に戻りたいと思っている人も多いことでしょう。一方で、新型コロナの流行が収まった後も、フレキシブルな勤務形態やリモートワークを続けたいと考えている人だって少なくないはずです。せっかくマスターしたデジタル・スキルをこれからも活用したいという人も間違いなく多いでしょう。

イギリスでは約三〇%の人が今後も在宅勤務を続けたいと思っているとの調査結果が出ています。日本でも三〇%とまではいかなくても、一五〜二〇%ほどの人が在宅勤務を続けていきたいと考えているのではないでしょうか。つまり、ポスト・コロナ時代の「新しい生活規範」が確立されつつあるということです。

長時間労働を問題としない日本人の働き方は、こうした状況と最も遠いところにありました。労働時間や生産性で他の先進国から遅れをとっていた日本が、パンデミックによって半ば強制的に「働き方改革」を成し遂げる絶好の機会を得たと考えることもできます。

あとは企業がフレキシブルな働き方を受け入れるために、どれくらい準備をできるかが問題となってきます。今は感染拡大を防止するために、やむを得ずテレワークなどを認めているわけですが、これを追い風にできるか否か、それは企業側のチャレンジ次第です。

とはいえ、日本の生活様式や住宅環境が在宅勤務のハードルになっていることも承知しています。東京は世界で最大の都市の一つですが、人口密度も世界トップクラスです。その結果、欧米と比較すれば狭い一戸建てやマンションに住んでいます。部屋数の少ないマンションに家族と一緒に住んでいれば、在宅勤務をするのはちょっと難しいでしょう。東京に住んでいる友人は、「狭い部屋にずっと閉じこもって仕事をしていると頭がおかしくなりそうだ」と言っていました。

幸い私の住むイギリスでは、日本よりも家は多少広く、公園もたくさんあります。

もちろん東京にも美しい公園がありますが、イギリスほど多くはありません。ロックダウン中であっても散歩などの外出は認められているので、私もリージェンツ・パークを一時間ほどかけて散歩するのが日課となっています。

イギリスでもロンドンへの人口集中が問題となっていますが、安倍晋三首相はいっそのこと、今回のパンデミックを東京一極集中を緩和する契機と捉えるべきではないでしょうか。地方に高性能のブロードバンド環境を整備して、都市からの移住を奨励するチャンスかもしれません。そうすれば、わざわざ通勤時間をかけてオフィスに出かける必要はなくなります。

健康を保ちつつ歳を重ねる重要性

「人生百年時代」において、この新型コロナウイルスが人々の寿命にどのような影響を及ぼすのか、『ライフ・シフト』の共著者であるアンドリュー・スコット教授と一緒にいくつかの新聞に寄稿しました。私たちは長期的に見た場合、「人生百年時代」

への大きな影響はない、と結論づけています。

しかし、短期的な観点にたつと違います。高齢者はウイルスに命を奪われる可能性が極めて高い。これは世界的に共通する傾向です。さらに先進国では、八十代以上の高齢者になると糖尿病や高血圧などの基礎疾患をもつ人が多くなり、病状が悪化する確率がさらに高まります。

したがって私たちが強調したいのは、"healthy aging"（健康を保ちつつ歳を重ねること）の重要性です。健康な七十歳と、糖尿病や心臓病などを患っている七十歳では、同年齢でも新型コロナによる致死率がまったく違います。すでに高齢化が進行している日本では、"healthy aging"の重要性を社会できちんと認識することが必要なのです。

高齢化は今や世界的な課題です。一八五〇年以降のデータを見ると、人類の平均寿命は十年ごとに二年ずつ延び続けている計算になります。

先進国においては、一九六七年生まれの半数は九十一歳まで、八七年生まれの半数は九十七歳まで、二〇〇七年生まれの半数は百三歳まで生きるとの予測もあります。

「人生百年時代」は、もうすでに始まっているのです。

日本はその中でも、高齢化のプロセスにいち早く踏み出した国だと言えます。現在、平均寿命は約八十四歳と世界でもトップレベルで、六十五歳以上の高齢者は全人口の二八・四％を占めています。十年後の二〇三〇年には、人口の三分の一が高齢者になるとの予測があります。

その意味で、日本は世界における〝トップランナー〟なのです。だからこそ、この五〜十年で日本がどのような行動を起こすのか、各国が注目しています。日本の次に高齢化が進むのは中国です。中国では日本以上に急スピードで高齢化が進行すると考えられています。私は仕事で多くの国を訪ねますが、どの国でも、「日本では今、何が起きているのか」という質問を受けます。

新型コロナの猛威という難問をふまえた上で、改めて高齢化の問題にどのように立ち向かい、「人生百年時代」に適応するのか——日本の政府と社会は、世界に向けて模範を示す立場にあるのです。

年収の一七％を毎年貯蓄

寿命が延びると、私たちの人生にどのような変化が起きるのか。一つの例として、一九七一年生まれのジミーという人物を考えてみます。

現在四十代後半のジミーは、平均寿命をもとに考えると八十五歳まで生きるという計算になります。仮にそうなった場合、六十五歳で退職するとすれば、リタイア生活は二十年にも及びます。その二十年間を六十五歳の時の年収の五〇％で暮らしていこうと思うと、在職中に毎年の所得の一七・二％を貯蓄し続けなければならないという計算になるのです。企業年金や公的年金も、将来どうなっているか分からないという不安があります。

毎年これだけ貯蓄するのは負担がかなり重く、非現実的な話でしょう。そうなるとジミーには二つの選択肢が出てきます。一つは六十五歳で引退する代わりに生活レベルを下げること。もう一つは、引退の年齢を引き上げることです。これらの選択肢を提示された場合、多くの人は生活レベルを下げたくないため、後者を選ぶことになります。

六十歳は「年寄り」ではない

つまり長寿社会とは、「より長く働く社会」でもあるのです。

自分が高齢者になっても働いている姿が想像出来ず、不安になる方もいるのではないでしょうか。ここで強調しておきたいのは、私たちにまず必要なのは、年齢に対するステレオタイプな考え方を捨てることです。

私は二〇一七～一八年に、日本政府が開催した「人生１００年時代構想会議」で有識者議員を務めました。高齢化社会の問題について積極的に議論し、解決していこうとする日本政府の姿勢は賞賛すべきものでした。一つ残念だったことは、改革を推し進める立場の政府こそが「高齢者とはこういうものだ」という思い込みを持っていると感じられたことです。この頑《かたく》ななマインドセットを変革することが大切です。

暦年齢は、人間を区別する指標の一つに過ぎません。社会的年齢や身体的年齢など、私たちをはかる尺度には様々なものがあります。そもそも今の八十歳は二十年前の八十歳と比べると健康ですし、「若い」「老いている」の概念は大きく変わってきています。六十歳はもはや「年寄り」ではなく、七十代半ばまで働けない理由はありません。「年寄り」と言っていいのは八十歳以上のことです。

枠にとらわれない自由な考え方をすれば、高齢者は活気に溢れ、社会に大いに貢献できる存在なのです。私だって現在六十五歳ですが、大学教授として働いていますからね。本の執筆などの難しい仕事をこなす能力はまだ充分ありますし、出来るだけ長くこの仕事を続けたいと思っています。

年をとることはワクワクすること

何よりも日本が有利なのは、世界各国と比べて「健康寿命」が非常に長いということです。つまり、多くの人が要介護や寝たきりの状態になることなく、長く健康に生きることが出来るのです。前にも述べたように、"healthy aging"はポスト・コロナ時代において何よりも重要なテーマです。健康であれば六十歳になっても好きな仕事を見つけ、新しい人生を始めることが出来るわけです。年をとることは惨めなことではなく、ワクワクするものでなくてはいけません。

まずは長寿をポジティブに捉える。それこそが高齢化社会の問題を打破する鍵です。その上で日本政府や企業は、働きたいと感じている高齢者に、その機会を与えられるよう努力すべきです。

高齢者が働き続けることで、組織やそこに所属する人々が恩恵を受けることも多々あります。長年積み上げてきた経験やスキルを持つ人が近くで働けば、若者にとって良い刺激になるのです。ある研究では、年齢構成が偏っている組織よりも、ばらけている組織のほうがチームの仕事が上手くいくことが分かっています。異なる年齢の人間が一緒に仕事をすることで、お互いに触発され、有益で生産的な結果が生まれます。多様性が、イノベーションを生む土壌となるのです。

こんなことを言うと、特別なスキルを持たない高齢者の方々は、不安な気持ちになるかもしれません。あるスキルについて、年上の人が年下の人に指導するのと同様に、年下の経験者が年上の人に教える〝メンタリング〟は、非常にポジティブな結果を生むという研究結果もあります。たとえ六十歳を超えていても、新しいスキルを学ぶのに決して遅すぎる年齢ではありません。

例えば長寿国の一つであるシンガポールは、二〇三〇年までに、定年を現在の六十二歳から六十五歳にまで引き上げるという方針を打ち出しています。それに伴って人材開発省直轄の機関が、労働者のための新たな技術の習得を支援しているのです。高齢者であっても、補助金を受けてITなどの技術を学べます。

日本でも高齢者のためのセーフティネットを整え、特別なスキルを持たない人たちについては、次のステージに進むための手助けをしていくべきでしょう。人生百年時代になると、大学で学んだ知識だけでは、仕事を長く続けるのに充分ではありません。

人が長く生きるようになると、働く長さだけではなく、働き方にも変化が起こります。

例えば、引退の年齢が七十〜八十歳になったとします。その歳まで同じ仕事をずっと続けることを想像すると、多くの人は精神的に耐えられなくなり、不安にもなるでしょう。長く働くためには、好きな仕事を見つけなければなりません。嫌な仕事を続けることほど、惨めなものはないですから。これからは、自分で小さなビジネスを興したり、複数の仕事に同時並行で関わる人が増えていくことが考えられます。

人生のマルチステージ化

これまでは「教育・仕事・引退」という〝三ステージ〟の人生が一般的でした。小学校から大学まで学び、大学を卒業したらフルタイムで働き、定年を迎えたら引退生活を送るというものです。皆で隊列を乱さずに一斉行進するので、自分がある年齢の時に何をしているのか予測がつきやすかった。

ですが今後、そのような画一的な生き方は時代遅れになるでしょう。一人ひとりが自分にとって理想的な働き方を追求し、各ステージの順序やタイミングも異なってくるからです。私たちの人生は〝マルチステージ〟化していくことになります。

大学を卒業した若者がすぐに就職するとは限りませんし、一度退職してまた会社に戻ってくる人や、働いている途中で学びのステージに立ち寄る人も出てきます。

それに合わせて、企業は社員の働き方に柔軟性を持たせ、裁量権を与えていくべきでしょう。最近は副業を認める企業が多くなりましたが、実は副業制度はあまり生産的な方法ではありません。それよりも、週休三日にするとか、大きなプロジェクトを終えた後は二週間ほどの大型休暇をとらせるようにするべきです。まとまった時間を与えられるほうが、社員はさらに多くの選択肢を持てるようになります。

人生が三ステージの時代は、仕事は人生のおよそ半分を占める計算でした。一方でマルチステージになると、仕事は人生の「一部」に過ぎません。長く生きればその分、人は様々なことに挑戦したくなるからです。趣味に没頭するなど、プライベートも充実していきます。

日本人はこれまで、長時間労働をこなし、会社に献身的であることを美徳としてきました。その価値観を捨てることがなかなか出来ないのが、この国の人々が直面している心理的障害でした。ところが、パンデミックを経験したことによって、フレキシブルな働き方を知り、心理的な障害から解き放たれつつあります。確かに、仕事を一生懸命頑張るのは大事なことですが、「仕事に人生の一〇〇%を捧げるな」ということです。

もちろん、仕事に集中すべき時期というのはあります。

私の次男・ドミニクは外科医として働いています。仕事に追われ、健康的な生活を送っているとは言い難いですし、恋人がいるわけでもありません。仕事、健康、人間関係……全ての要素をバランスよく保つのが一番ですが、外科医として成長することが、今の彼にとって最優先事項であることは明らかです。それで手一杯の状態なら、他の要素に労力を回す必要はありません。

ただ、ドミニクが努力を重ね、外科医として自信を持てたとします。ならば、そこからさらに前進し、健康やプライベートの充実にも力を入れなければならないでしょう。

三つの無形資産

コロナ後の長寿社会を幸せに生きるため、個人の備えとして何が出来るのか。

一般的には、不動産や株式などの「有形資産」が重視されがちです。もちろん、引退生活を安心して送るためには有形資産は欠かせません。ですが、長く働くために強みとなるのは「無形資産」です。お金にはなりませんが、人生のあらゆる場面で大きな役割を果たします。私は自著で、無形資産は三種類あると紹介しました。

一つ目は「生産性資産」です。価値ある高度なスキル、自分のキャリアにとってプラスとなる人間関係、会社や組織に頼らない自分自身の評判――それらを得ることによって、社会から求められ続ける人材でいることが出来ます。

二つ目は「活力資産」です。百歳まで幸せに生きるためには、肉体的・精神的な健康が不可欠です。運動や食生活を大事にすると同時に、適切なストレスマネジメントの実践も求められます。また、孤独な生活を送るより、家族や友人と楽しい時間を過ごす人のほうが長生きします。

最後に、「変身資産」です。長い人生を歩んでいく中で、ずっと同じ人間でいるわけにはいきません。勤務している会社が倒産するかもしれないし、時代も変化していきます。私たち自身も、年をとれば心身ともに変化します。様々な変化についていける力を鍛えるためには、自分と向き合いつつ、自分と違う年代、性別、仕事、国籍の人たちと関わっていくことが大事です。様々な人間と交わることで、「将来こうなりたい」というロールモデルを得るきっかけが生まれるからです。

〝人間らしい力〟が必要

「どの分野のスキルを身につければ、将来的に役に立つのか」

無形資産の重要性について説くと、このような質問を受けることが多いです。実は、何を学ぶかはそれほど重要ではなく、人生を通して絶え間なく学び続ける姿勢が必要なのです。その中で自分自身が夢中になれることを見つけられれば、皆さんの人生は充実したものになるでしょう。

ただ、時代の流れを考えると、「テクノロジーの進化」には触れておくべきでしょう。デジタル・スキルの必要性は、パンデミックによってさらに高まりました。ＡＩ

やロボットの普及によって代用される仕事は確実に増えていきます。重い荷物の運搬作業や金融機関の窓口業務などは、ロボットに置き換わりつつあります。

我々はその事実から目を背けることなく、「人間にしか出来ない仕事は何か」ということを考え、自ら学び続けなければなりません。一つ確かなことは、テクノロジーが発達した未来では、我々の仕事にはより〝人間らしい力〟が求められるということです。

では、ロボットやAIより人間が優れている点とは何かと言うと、共感力や創造力、理解力、交渉力などです。その点では、高齢者には力を発揮するチャンスが多くあります。長い人生で様々な経験を積み、洞察力や英知が優れている人間は、機械よりも高次元な仕事が出来るからです。もちろん誰でも歳をとれば洞察力が高まるわけではなく、常に自分の視野を広く持ち、物事を分析する努力が必要です。

また、日本の現在の初等教育は、計算能力や記憶力などの「認知能力」に重点を置いていると聞きました。学校では何回も暗記テストを出し、子供たちに繰り返し学習させるということをしているそうですね。その暗記こそ機械が得意とする分野で、人間が負けてしまうことは明らかです。なにも「認知能力」を疎《おろそ》かにしろと言っているのではありません。共感力、対人関係構築力、非言語能力などいわゆる「非認知能力」についても、重要性を見直すべきです。

また、教育に関して付け加えるならば、英語は学ぶに越したことはありません。私は日本を訪れるたび、英語を話せる若者の少なさに愕然《がくぜん》としてしまいます。彼らは英語が話せないことで、将来の可能性を大きく狭めてしまっているのです。私は自分がイギリス生まれであることを、とても幸運だと認識しています。世界で通用する言語を生まれたときから学んでいるのですから。世界には様々な働き方や暮らし方があるのに、行動範囲を日本語圏に絞ってしまうのは、本当にもったいないことです。

日本での結婚は〝不平等〟

長寿によって働き方が変われば、家庭生活も必然的に変化します。

近年、女性の社会進出とともに経済的自立が進み、結婚観は大きく変化してきています。未婚の女性は増えましたし、子供を持たない夫婦も多くなりました。これは世界各国で見られる現象ですが、日本はその中でも独特な問題を抱えています。

私には、日本に住んでいてまだ結婚していない女性の友人が何人かいます。「なぜ結婚しないの？」と質問すると、全員から「日本で結婚はしたくない」という答えが返ってきます。そこが日本の問題です。つまり、彼女たちは結婚できないのではなく、結婚という選択をためらっているのです。それは、結婚することが〝不平等〟だと考えているからです。

問題の根本にあるのは、日本における結婚についての伝統的な価値観でしょう。「夫は一家の大黒柱として働き、女性は家を守るものである」という「男女分担制度」のことです。伝統的な制度としての結婚が、いまだに変わっていないことが日本固有の問題なのです。日本の男性や企業は、いまだにその考えから脱却できていません。

イギリスでは女性が産後に職場復帰すると、男性は休みをとって家事を共有し、子育てに積極的に関わります。日本の男性はどうでしょう。自分の家庭における役割は仕事だという意識があるため、男性の育児休暇取得率は一桁％台。先進国では有数の低さです。夫婦で働いているのに、女性にだけ負担を強いるのはアンフェアです。だから日本の女性たちは結婚に尻込みするし、実際に結婚しても上手くいかず、離婚する夫婦が多いのでしょう。日本の離婚率はおよそ三五％で、三組に一組が離婚する割合です。

従来、日本の男性たちは家族にあまり関わろうとしませんでしたが、テレワークの普及によって意識が少し変わりつつあるのではないでしょうか。新型コロナが収束した後も、子供や家族と一緒に過ごす時間を持ち続けたいと考える男性が増えたと思います。

日本の男性と企業は意識改革を

一方の企業も、「終身雇用制度」を保ち続けているのが問題です。終身雇用制度は、三ステージの人生を送る男性をモデルとした働き方だからです。企業側は家族の在り方が変化していることを理解すべきです。そのためにも、私たち一人ひとりがどのような価値観を大切にしたいのか、どんな社会にしたいのか、はっきりと主張することが必要です。そうした市民社会の重要性は、イギリスで五月に刊行した新著（"The New Long Life: A Framework for Flourishing in a Changing World"）でも詳しく説明しました。

終身雇用制度は、出産によってキャリアが中断するなど、ライフステージが複雑な女性たちには馴染みません。そのため、産後復帰した女性は管理職などの高い地位に就くことが出来ませんし、出産を機にパートタイム労働者になる女性も多いのです。それはダイレクトに、男女の賃金格差に結びついていきます。日本はＯＥＣＤ（経済協力開発機構）加盟国中、女性の管理職と取締役会に占める割合が下から二番目で、男女の賃金格差は三番目に大きい国です。

このように日本の男性と企業を支配してきた男女分担の考え方は、人生百年時代においては時代遅れとなります。そもそも、夫が一人でお金を稼いで、百年間家族を養うのはかなり無理があると思います。経済的責任を夫婦で分かち合えば、長い人生に必要な資金を確保するうえでリスクを大きく減らせます。

「社会の生産性」という面から見ても、男性と同等の生産性を持つ女性を労働市場から排除するのは大きな機会損失です。日本はただでさえ移民が少なく、生産年齢人口が高齢化して減っています。女性を社会に戻さないと、少子化が進む日本の総労働人口は、急速に危険なレベルにまで減少していくことになります。

これからの夫婦は、二人が同時に働いたり、互いのキャリアを支えるために交互に職に就いたりと、様々な形態をとることになるでしょう。私が教えているロンドン・ビジネススクールには日本人夫婦が二人で学生として通ってきていますが、「我々は非常にまれなケースです」と言っていました。本来はそうであってはいけません。夫婦が同時に学ぶこともあり得ます。日本の男性は意識を改革し、企業は雇用を柔軟にすることで、夫婦は精神的にも制度的にも対等な関係にならなくてはなりません。

政府や地方自治体については、保育所の整備に予算を回していくべきでしょう。お手本となるのは、女性の労働参加率が高い北欧諸国です。デンマークやノルウェー、フィンランドなどでは育児のための法が整備され、チャイルドケアが充実しています。

手ごろな料金で、質も高いため、母親たちは安心して子供を預けて働きに出かけられるのです。

ポスト・コロナ時代に重要な四要素

寿命が百年に延びる時代は、社会に一大変革をもたらします。日本で高齢化が進んでいるということは、裏を返せば、対応するために残されている時間が少ないということに他なりません。

ポスト・コロナの人生百年時代にあたって、前に説明した「無形資産」に加えて、重要になってくる要素が四つあります。透明性（transparency）、共同創造（co-creation）、忍耐力（endurance）、そして平静さ（composure）です。

まず、透明性というのは、リーダーや企業が、今何が起きていると判断しているのか、透明性をもって国民や従業員に詳しく説明する重要性のことです。新型コロナの感染拡大にあたって、どのように現状を把握し、どう対処していくのか、この透明性によってリーダーシップの在り方が問われました。従業員も在宅勤務をすることで、結果をより明確に出さなければならなくなりました。

次に共同創造ですが、私たちはみんなで一緒になって、協力しあいながら未来を築いていかなければならないということです。ロックダウンで自己隔離の生活を送りながらも、一人ひとりが自らの役割を果たすことでしか、ウイルスに立ち向かうことはできません。先日も多くの人とデジタル・プラットフォームを使って、このテーマについて議論しましたが、ポスト・コロナにあって何が重要な価値なのか、これからも議論していくことが必要です。

三つ目の忍耐力は、言うまでもないでしょう。ロックダウンや自粛生活を続けていくには、何よりも必要なことです。それと同時に最後の平静さを保つことも大切です。肉体的に健康であるとともに、精神的に健やかさを維持すること。これについては日本人がとても得意な分野ではないでしょうか。

日本は一九四五年の敗戦後、戦争で疲弊した社会の再建に力を注《つ》ぎ込みました。そのため国民が一丸となって懸命に働き、大きな経済成長を成し遂げました。世界に誇れる一流企業も多く生まれました。今、この国に求められていることは、戦後の再建に費やしたのと同じくらいのエネルギーを、「個人」や「家族」、そして「健康」に注ぎ込むということです。

パンデミックが起きたとき、生き延びるために重要だったのは、まずは健康という資質でした。そして、家族との絆も実は大切でした。絆が弱い人は感染拡大によって、さらに弱体化します。頼れる誰か、頼ってくる誰かが人には必要なのです。家族との関係だけでなく、コミュニティ強化の重要性も教訓として学ぶべきです。

個人の健康、身につけたスキル、家族や周囲の人々との関係性、それらを総合したものが、困難や逆境にあっても心が折れずに柔軟に生き延びる力、つまりはレジリエンスになるのです。パンデミックから多くを学び、私たち全員が変わらなければならない時が、すぐそこに来ています。

第４章

認知バイアスが感染症対策を遅らせた

スティーブン・ピンカー

世界では多くの人々が貧困にあえぎ、福祉や教育制度は崩壊し、政治でも分断が進んでいる。地球温暖化は待ったなしの状態なのに、国際社会は一致団結できない。また、今もテロや犯罪によって多くの命が奪われている。その上、新型コロナウイルスによるパンデミックとは、世も末か――。このように世界の現状を悲観的に捉え、絶望している人は少なくないだろう。

こうした現状評価に対して、「それは『地球は平らだ』と主張するくらい、全くの誤りだ」と断言するのは、ハーバード大学心理学教授のスティーブン・ピンカー氏（65）だ。進化心理学の第一人者で、二〇〇四年には米タイム誌の「世界で最も影響力のある百人」に選ばれた。二〇一一年に刊行した『暴力の人類史』（青土社）では、人類史を通じて暴力が確実に減少したことを、データを基に立証して話題となった。最新刊の『21世紀の啓蒙』（草思社）では、現代にはびこるシニシズムを危惧し、理性や科学に基づく「進歩」の実践の重要性を説いている。

新型コロナの流行を巡っても、極端な楽観論や悲観的にすぎる観測など、メディアではさまざまな憶測が飛び交っている。なぜ我々はデータではなく印象論に左右されてしまうのか、そして未来に期待できる根拠とは何か、ピンカー氏が語った。

「基準率的思考」と「指数関数的思考」

長期的なデータを見れば、人類を取り巻く環境が良くなっていることは自明です。十八世紀中ごろには二十九歳だった平均寿命は、今や七十一・四歳に延び、食糧状態についても、一九六〇年代には一日一人当たり約二千二百キロカロリーだった摂取熱量が、現在では約二千八百キロカロリーです。また、世界総生産は二百年でほぼ百倍と、富も増えました。天然痘やペストなど、いくつかのパンデミックもありましたが、人類は危機を切り抜けて生き延びてきました。

インフラや政治形態も改善しています。特に先進国では、清潔な水が蛇口から流れ、権力者を批判しても投獄されない民主主義の下で暮らすことができる。さらに、機械化が進み、世界の知識を小さな端末で持ち歩けます。

これらの進歩は、自然の成り行きで得た結果ではありません。人類が求め、科学によって獲得したのです。多くの人は気付いていませんが、知識と科学が人類の「ウェルビーイング（幸福）」における長足の進歩をもたらしました。進歩とは、自然の摂理ではないのです。

そうは言っても、新型コロナウイルスについて、私たちが無知であることを謙虚に認めなければなりません。このパンデミックがどれほど深刻な事態に発展するのか、現時点では誰も予測できないのですから。

この流行拡大をどのように捉えるべきでしょうか？　相反する二つの考え方をジョージ・メイソン大学のタイラー・コーエン教授が提示しています。

一つは「基準率的思考（Base-rate thinking）」で、これまでに起きたパンデミックの脅威に対して人類がどのように立ち向かったのか、歴史的な記録や成果を踏まえる考え方です。過去に生じた感染症の大流行は、隔離措置、薬、ワクチンなどによって、すべて乗り越えられました。

もう一つの考え方は「指数関数的思考（Exponential thinking）」です。これに基づいて考えると、感染症は指数関数的に拡大してしまうので、いかなる対策であっても限界があり、ウイルスに簡単に凌駕されてしまうという予測になるのです。

コーエンは「基準率的思考」と「指数関数的思考」のどちらが正しいのか、次のように言っています。多くの場合は歴史的な考え方である「基準率的思考」が正しいけれども、この新型コロナウイルスのケースでは「指数関数的思考」の方が当たっていると思う、と。

さまざまな国で感染拡大が起きていますが、過去のケース程度の死者数に抑えられるだけの十分な時間があったのか、あるいは、一九一八年から流行して数千万人もの死者が出たとされるスペイン風邪の破壊的なレベルにまで達するのか、まだ判断できません。

流行が収束していないので明言するのは時期尚早ですが、今回の感染拡大を歴史的にみると、最も被害が少なく終わったとしても、一九五〇年代のポリオ流行に近いレベルでしょう。当時は感染する恐怖におののいたものですが、効果のあるワクチンを開発しなければならないという刺激にもなりました。「鉄の肺」と呼ばれた原始的な人工呼吸器の記憶も遠くなってしまいました。

ただし、最も楽観的な結果になったとしても、この新型コロナのパンデミックは歴史に深く刻み込まれ、私たちの諸制度やマインドセットに深い変化を引き起こすことでしょう。

感染症は戦争を起こさない

パンデミックを戦争のようなものだと表現する人や、政治指導者の中には「戦時体制だ」と口にする人もいます。たしかに自己犠牲的な行動や政府による産業動員などのように、戦時中のような対策が必要とされてはいます。ただし、すべてのアナロジーに言えることですが、比喩的表現と実際の事実には隔たりがあります。指導者たちはその区別をきちんと説明しておくべきでしょう。

感染症が戦争を引き起こすのではありません。因果関係としてはまったく逆で、戦争が感染症を流行させるのです。

戦争はインフラを破壊してしまうので、自暴自棄となった人々は一つの場所に集まりがちです。スペイン風邪が流行したのは第一次世界大戦がはじまった一九一四年ではなく、最終盤の一九一八年です。塹壕に大量の兵士たちが押し込められて、そこから大流行したのかもしれません。私の知る限り、感染症の拡大によって大規模な戦争がはじまったり、犯罪が増加したりしたことはありません。戦時であっても平時であっても、人類にとって感染症が最大の殺人者なのです。

船に代わって飛行機がウイルスを運んだ

このパンデミックが起きたのは、グローバル化が進んで世界が過剰につながった結果だという見方もありますが、必ずしもそうとは言えません。

黒死病は十四世紀であってもアジアからヨーロッパに一気に伝播《でんぱ》しましたし、十五世紀にはヨーロッパで流行した感染症がアメリカ大陸に持ち込まれて、先住民たちが大量に犠牲となりました。

かつては船による航海で感染症が運ばれていましたが、現代は飛行機の移動によって伝播スピードが急速になり、私たちは感染症に対してきわめて脆弱になりました。

その一方で、私たちはウイルスから身を守る術を身につけてきました。体に入ってきた異物を排除する免疫システムはもちろんですが、行動免疫というものもあります。私たちは嘔吐物や痰を見ると嫌悪感を覚えて、自然と避けようとします。これは進化の歴史で病原体を避けるための行動パターンを獲得してきたということです。

さらに、科学技術の進歩によって感染症に対するレジリエンス（抵抗力、回復力）も私たちは獲得しました。公衆衛生面でのモニタリング状況や伝染病に関する新たな情報などを、瞬時に伝えられるグローバルな通信ネットワークが整備されていますし、感染のメカニズムを解明したり感染が拡大するスピードを遅らせるための疫学的な知識、抗ウイルス薬やワクチンの開発といった医学技術も格段に発達しました。

では、こうした感染症に関する膨大な知識や技術をもってすれば、新型コロナウイルスは恐れるに足らない相手なのでしょうか？

先に紹介した「指数関数的思考」の観点にたつと、手遅れになれば私たちの限定的な方策は新型コロナの猛威にあっという間に押しつぶされてしまいます。私たちはパンデミックを跳ね返す力を持っていますが、それは魔法のようにいつでも効果を発揮する力ではありません。いかに迅速かつ強力に感染症対策を実施できるかにかかっているのです。

パンデミックと気候変動

仮に、新型ウイルスの大流行がポジティブな側面や、教訓をもたらしたとすると、それはどんなことでしょうか？

左右を問わず、数多《あまた》のポピュリストたちが科学や国の制度は腐敗しているから焼き払ってしまえと叫んでいます。そんな時代において、サイエンス、公衆衛生、責任ある主流メディアといった健全な諸制度の必要性が改めて強調されたことは、ポジティブな側面です。

さらに、専門的な技能と組織の重要性も見直されました。想定外の大量死と悲劇の中で立ち向かっているのは、医療、公衆衛生、生物学の専門家だけです。ロックダウン（都市封鎖）のような疫学的な対策と、経済面での対応は、往々にして相反してしまいます。その両者を調整するのが、政治指導者と官僚の仕事であり、それは政府レベルの規模でしか成しえません。それだけでなく、国際機関と政府間の協力も必要です。

もう一つ肯定的に思えるのは、ナショナリズムが再燃する中にあっても、グローバルな国際協力が評価されていることです。当然ですが、ウイルスにとっては国境や民族の誇りなど、お構いなしですからね。

またウイルスは、私たちが今日抱えている問題の多くが、本来的に地球規模のものであることを思い起こさせてくれました。最も明白なテーマはパンデミックと気候変動ですが、サイバー犯罪、ダークマネー、移民、テロリズム、海賊、核戦争など、他の諸問題についても国際的な協力が可能になるだろうという希望を持てます。

三つ目に、将来的にパンデミックを防ぐためのリサーチへの投資が大幅に増加するでしょう。具体的には、感染症を報告するネットワーク整備、大規模に検査するシステム、抗ウイルス薬、より迅速なワクチン開発などです。

中国の独裁主義が感染拡大を助長した

フランスのマクロン大統領のように、このパンデミックによって民主主義の脆さが浮き彫りにされた、と指摘する声もあるようです。しかし、私はそう思いません。民主主義は崩壊していませんし、独裁主義に陥った民主主義もありません。

新型コロナ対策において、中国のような独裁主義体制のほうが魅力的に見えるという知識人もいるようです。迅速に都市封鎖を実行できる絶大な強制力があるからです。

ところが、独裁主義の中国は当初、感染症に関する情報を抑えつけていたために、パンデミックへの対処が遅きに失したのです。新型の肺炎を最初に報告した医師の口を封じることで、流行の拡大を助長してしまいました。新たな感染症の発生が露見し、中国政府の印象が悪くなることを恐れたのでしょう。

独裁主義政府というのは、国民の利益などは二の次で、支配者の正当性にしか関心がありません。だからこそ、二〇〇二年にＳＡＲＳの発生源となった、生きた野生動物の巨大市場を——民主国家では公衆衛生対策でだいぶ前に規制して閉鎖したのに——中国はいまだに野放しにしているのです。

それに対して、民主主義国家である韓国と台湾の対応は、非常に効果的だったように見えます。強力で効果的な感染症対策が、民主主義国家に適合していることを証明したのです。

罰則を伴う外出禁止令や都市封鎖など、かなり強力な対策を講じている国も少なくありませんが、それほど大きな抵抗はなく、市民はスムーズに応じました。一部に外出禁止解除を求めるデモも起きていますが、天災や戦争のような危機の際、人々は少なくとも一時的には個人的な利益を脇に置いておけるということです。

ジャーナリズムの罪

新型コロナの世界的な蔓延によって、以前にも増して、世界はどんどん悪くなっている、未来は暗いという認識が広がっています。また、科学は無力だと軽視する人も増えています。

人はなぜ理性や科学による進歩を正しく認識できないのでしょうか。

原因の一つは、ジャーナリズムです。ジャーナリズムは、どんな日でも、この惑星で起きている最悪のことを選んで報道します。七十七億人が暮らす地球のどこかでは常にひどいことが起きています。

認知心理学では、人は危険が起きる確率を、客観的な統計やデータよりも、身近なイメージや、よく聞くストーリーに基づいて判断することが知られています。「利用可能性バイアス」と呼ばれるバグで、簡単に言えば、「最近遭遇した類似例から判断してしまうバイアス」です。

このバイアスは、しばしば誤った結論を導きます。医学を学び始めたアメリカの医学部一年生は発疹を見るとすぐ病院に通うべきだと思うし、バカンスの観光客は、『ジョーズ』を見た後は海に入りません。

ジャーナリズムは、このネガティブなバイアスを作るのです。毎日、銃撃やテロ攻撃、内戦、飢餓、病気の大流行についてのニュースを見ると、世界中がバイオレントになり、病気が流行し、貧困に向かい、危険に陥っていると思うでしょう。新型コロナに関する報道も同じです。どの国では何万人の死者が出たと毎日聞かされているのですから、悲観的になるなと言うほうが無理です。

二〇一六年のある調査によれば、アメリカ人の大多数がイスラム過激派組織のニュースを熱心に見ていた結果、「イラクとシリアで活動するイスラム過激派は、アメリカの存在と存続にとって深刻な脅威になっている」と答えた人が、七七%にものぼりました。もはや妄想と言ってもいいでしょう。

いいニュースは報道されない

一方で、平和に暮らしている地域はニュースになりません。「私は今、テロリストに攻撃されていない平和な都市から生中継で報道しています」とリポーターが伝えるのを聞いたことがありますか？　良いことは年に二、三%の割合で徐々に進み、十年、二十年をかけて大きな進歩になりますが、その進歩は漸進的なので、新聞は報道しません。

例えば、極度の貧困（一日一・九ドル未満で生活する人）は、この二百年間で、世界人口の九〇％から一〇％にまで減少しています。しかし、「今日、十三万七千人の人が極度の貧困から脱出しました」というヘッドラインを新聞で見ることはありません。この二十五年で十二億五千万人が極度の貧困から脱したという事実に、人は気が付いていないのです。

新型コロナに関しても同じです。新たな感染者や死亡者の数は毎日ひっきりなしに報道されますが、日々の回復者や退院者の数はほとんど報じられません。

また、多くのジャーナリストは現状に満足することを防ぐために、ネガティブな内容を報道して、人々に行動を起こさせることが義務だと思っています。彼らにとってポジティブなニュースというのは、政府のプロパガンダや企業広告のようなもので、さもなければ、オランウータンが子猫と仲良くなったというような心温まる人情話でしかないのです。

私は、この考えに反対です。ジャーナリストの責任は、世界の正確な状況を伝えることです。ある問題が解決しつつあること、ある災害が減っていることこそが、ポジティブなニュースなのです。

ジャーナリストの中には、読者は統計データをあまり信用しないし、「いいね！」のためにはセンセーショナルな記事にせざるを得ないと言う人もいます。しかし、新聞にはスポーツ欄やビジネス欄があります。スポーツ欄では勝っても負けても試合の結果を報じます。ビジネス欄には株価や為替レートが出ています。株価は上がっても下がっても変わらなくても報道されます。

一般のニュースも、ビジネス欄やスポーツ欄のようにあるべきです。犯罪率や今起きている戦争の数、二酸化炭素排出量などについて、ポジティブであれ、ネガティブであれ、最新の数字を載せるべきなのです。

二〇一八年十月と翌年三月、ボーイングの飛行機が墜落しました。そのとき、飛行機がどれだけ危険かという記事がたくさん出ました。しかし、これらの記事は飛行機の乗客が墜落事故で死亡する割合は過去四十五年で百分の一になり、飛行機がより安全になっていることを無視しています。ニュースには、歴史的、そして統計的な視点に立った解説がもっと必要です。

なぜなら、そうしたことを伝えないと、我々の努力は失敗の連続だったと思うようになり、一種の無力感や、宿命論、諦めに襲われます。

諦めに陥った人は、過激派や「私が全て解決する」というカリスマ性のあるリーダーに誘惑される危険性があります。今の仕組みを破壊すれば今よりマシになるという、ニヒリズムに惹かれるのです。パンデミックにおいて中国の独裁体制が魅力的に思えるという意見が増えているのは、そうした背景があるのでしょう。

世界的にも、二〇一〇年代以降、ポピュリズムやナショナリズム、軍国主義が台頭しています。自国がディストピアになり、現状を打破できるのは強い指導者しかいないという厭世観に満ちているのです。「今ある制度を壊せば世界は良くなる」と、右派、左派、ともに声を揃えています。ドナルド・トランプが大統領選への立候補を表明する前からこうした状況が続いています。

そして、自由民主主義や、EU、国連といった、人間の理性への信頼から生まれた諸制度に対しての信頼が失われています。人類の諸問題を解決して進歩を重ねようという、前向きなビジョンを提唱する声はあまり聞こえてきません。

我々はデータを理解できない

残念ながら我々は、生まれながらに統計を理解できるわけではありません。例えば、健康で長生きする人が増えたというデータがあっても、自分自身が健康でいられるか分からないから不安だという人がいますが、それは論理的とは言えません。そうしたあいまいな不安感を解消するためにも、データと統計について学校で早めに教えるべきです。

意外に思うかもしれませんが、データを正しく理解できるかどうかは、知能の高さとは関連しません。

次のような実験があります。ある皮膚疾患に新種の塗り薬を塗ってもらった場合と、塗らなかった場合で、それぞれ症状が改善した人数と悪化した人数を示しました。

ここで、薬は効いたか効かなかったか質問します。薬を処方した人数と処方していない人数は異なるので、効果については、その割合を比べなければなりません。計算が苦手な人は、人数だけを比較して答えを間違え、計算が得意な人は割合を比較して正しく答えました。

ところが、別バージョンの実験を行うと、結果は大きく変わりました。皮膚疾患を犯罪率に、塗り薬を塗ったかどうかを、市民が公共の場で銃を携帯することを規制するかどうかへと問題の内容を変えたのです。

すると、犯罪率が銃規制によって「低下」したことを示すデータが示されたとき、銃規制を行うべきだと考える、リベラルで計算に強い人は、データを正しく読み解きました。しかし、銃規制を行うべきでないと主張する保守派の人は、計算に強い人であっても、銃規制が犯罪率の低下に効果があったという正しい答えを導けませんでした。

同様に、犯罪率が「上昇」したデータを示したとき、保守派で計算に強い人は全員正解しましたが、リベラルで計算に強い人は、大半が答えを間違えました。計算に強い人でも、銃規制に賛成か反対かという、自分の政治的信条に基づいた解答をしてしまうのです。知能が高くても偏見があると間違った結論を出してしまうというわけです。

また、あるリスクを現実的な脅威として実感させるには、統計やデータよりもシリアスで具体的なケースのほうが有効です。たとえば新型コロナウイルスの危険性を伝えるには、死亡者数や致死率などのデータを並べるよりも、たった一人の有名人が感染することのほうが効果的です。イギリスのボリス・ジョンソン首相が一時、集中治療室に入ったと報じられましたが、これでCOVID-19（新型コロナウイルス感染症）の危険性を実感した人が多いのではないでしょうか。一度も会ったことがないのに、一流スポーツ選手や有名シンガーが感染すると他人事とは思えないのです。

我々の認知能力はバイアスの影響をすぐに受けます。そうした限界を克服するために、データを理解する必要があるのです。調査や分析によって得られるデータから考え、自分自身の考えだけを信頼しないよう、常に心に留めておくべきです。

だからこそ、私たちは歴史の中で理性を保つための基準や制度を作ってきたのです。たとえば、科学の実験、言論や表現の自由、大学、裁判制度、民主的な議会などです。

これらは、集団として合理的な判断を下せるようにデザインされています。

インターネットやＳＮＳにおいては自分が見たい情報しか、見えなくなりがちです。それを「フィルターバブル」と言います。我々は、自分と異なる意見を持つ人々に対して「彼らはフィルターバブルに入っている」と一蹴してしまいますが、私たち自身もフィルターバブルの中にいることには気が付いていません。

自分が正しいと思わせてくれるストーリーや記事を読むのは楽しいものです。反対に、自分の見方に批判的な内容に触れることは不快です。しかし、健康に過ごすため、食べすぎずに運動を心がけるように、自分とは異なる意見も傾聴すべきです。

普段から、自分と意見の異なる人と積極的に意見交換した方が良いでしょう。

教育を受けたはずの科学者でさえ、この落とし穴の例外ではありません。私が「バイアス・バイアス」と呼ぶ誤謬《ごびゅう》があります。自分もバイアスに囚われているということを忘れ、自分とは意見の違う人こそがバイアスを持っていると思いこむことです。

あるリベラルな三人の社会科学者は「保守はリベラルより敵対的かつ攻撃的である」という論文を発表しました。しかし、実はデータの分析を誤っており、本当はリベラルの方が敵対的かつ攻撃的だということに気が付き、論文を取り下げたのです。

環境問題の解決法

我々の未来を考えるときに避けて通れないのが環境問題です。スウェーデンの環境運動家、十六歳だったグレタ・トゥーンベリ氏の演説が巻き起こした論争は記憶に新しいでしょう。二〇一九年九月、国連気候行動サミットで彼女は演説を行い、無策な各国首脳を責める物言いが物議を醸しました。

彼女が重要な指摘をしたのは事実です。権力者がこれから四、五十年生きる若い人たちの利益を考えないのはアンフェアです。しかし、彼女の発言を冷笑したり、「幸せな若い女の子」と皮肉ったトランプ大統領のような人もいました。

彼女がニューヨークに滞在しているとき、同じテレビ番組に出たので、ほんの少しだけ会いましたが、彼女は自分にできる最大限のことをしていたと思います。政策通でも経済学者でもエンジニアでもない彼女が、ティーンエイジャーであることを活かして、自分ができる最高の行動を行ったのです。

もっとも、彼女が「今後八年半経たないうちに、許容できる二酸化炭素の排出量を超えてしまう」と叫ぶことは有効ではないと思います。気候問題をたった八年半で解決することはできないからです。そして、その期間で解決できないなら世界はおしまいだと人々が思ってしまえば、解決そのものを放棄しかねません。

気候変動の問題を、「善対悪」の枠組みにはめることも避けたほうがいいでしょう。原因を作っている邪悪な企業を打ち負かすという構図は誤りです。地球温暖化を解決するのに犠牲を払うのは裕福な先進国ではありません。

エネルギーは我々を貧困から救い出すこともできるのです。アジアやアフリカの貧しい国はエネルギー無しでは、今後、発展することができません。これらの国が発展する際には、温室効果ガスの排出がさらに増加しますが、彼らの発展を妨げるべきではありません。

我々は、世界にもっと安価なクリーンエネルギーを提供できる、新しいテクノロジーへの投資にコミットすべきです。トゥーンベリ氏も、非難ではなく、新しいエネルギー開発への展望も語っていれば、よりよかった。

ＡＩへの不合理な恐怖

新しいエネルギーについては、原発も選択肢の一つです。原発は皆さんが考えるより安全なエネルギーです。原発ができてから約六十年で、死者は一九八六年のチェルノブイリ原子力発電所事故での三十一人だけです。二〇一一年のフクシマでは原発事故による直接の死者は出ていません。

一方、火力発電による大気汚染や、化石燃料の採掘、輸送中の事故では多くの人が死亡しています。発電一キロワット時あたりの死者数は、原子力を一とすると、石油は二百四十三、石炭は三百八十七にもなります。

原発についての報道方法が、我々を根拠のない恐怖に陥れているのです。次世代の原子炉はモジュラー式で小型ですし、冷却システムも改善されて安全です。

ＡＩに対する恐怖も、不合理です。将来、ＡＩが多くの職を奪うことを漠然と不安に思う方もいるでしょう。しかし、大量失業は発生しないと私は予想します。古い仕事の代わりに必ず新しい仕事が生まれるからです。百年前、電話交換手やエレベーター係がいました。彼らはいなくなりましたが、今は、サイバーセキュリティ専門家、ウェブデザイナーなどの新しい職業が生まれています。データを見ても、パンデミックになる前のアメリカの失業率は過去最低に近いことが分かっています。

また、ＡＩは人間よりも優れているから、いつか暴走して人類を支配するのでは、という思い込みも誤りです。相手の力を奪い支配しようとするのは、いつでも人間です。人間は競争することで進化をしてきたので、相手の力を奪うことを考えるのです。しかし、囲碁の世界王者を破ったプログラムが、ラボの乗っ取りやプログラマーの暗殺をはかったでしょうか。

ＡＩはツールです。ツールの目的は人間が設定します。「危険なシステムを作らない」という倫理が守られる限り、人間の仕事や生存は脅かされません。皆さんに送るアドバイスは一つだけです。

「落ち着け」です。

原発やＡＩよりも、懸念すべきは核兵器でしょう。核兵器は原発やＡＩと異なり、人を破壊するために設計されたもので、人類を絶滅させる能力を持っています。これこそリアルな脅威です。我々は何よりも先に、核兵器や、それを用いる戦争を無くさなければなりません。

ＡＩを搭載したドローンなど最新の自動兵器よりも、核兵器を危惧すべきです。日本は、第二次世界大戦で原爆によって破壊的な損失を被りました。二発の原爆によって二十万人ともいわれる市民が亡くなりました。その後、さらに強力な水爆も開発されています。まずは核兵器の廃絶こそが目標です。

不合理な恐怖に囚われることなく、本当に恐れるべきものは何か、と考えておくことが重要です。これは新型コロナの教訓でもあります。公衆衛生の専門家たちは、何年も前から警告を発していました。モニタリング態勢を強化して、新たな感染症への対応や検査が迅速に実行できるようにすべきであり、十分な防護服の準備やワクチン開発に取り組むべきだと。

ここにも認知バイアスがあります。テロへの対応と比較してみれば一目瞭然です。

二〇〇一年九月十一日に起きたアメリカ同時多発テロ事件では、直後から空港のセキュリティが厳格になり、IDなしには飛行機に搭乗できなくなりました。ところが、感染症は私たちの目には見えず、徐々に拡がって、気づいたときには指数関数的に感染が拡大していています。そうした性質ゆえに人間は危険性を見逃してしまうのです。テロや火事には特殊部隊や消防隊が迅速に対処するのに、パンデミックには緊急対処部隊がいません。テロリズムによる死亡者よりパンデミックでの死者のほうが、はるかに多いにもかかわらずです。

専門家の忠告を実行に移すために、何万人も死んでしまうような不幸を必要とすべきではなかったのです。今後、私たちが望むべき最善のことは、このパンデミックによって彼らの警告をきちんと受け止め、再び起きてしまう可能性を減らすことです。

格差よりも不公正が問題

もう一つ大きな問題が残っています。それは格差です。「世界が豊かになっていても、一部の富裕層が富の多くを独占している。格差は拡大し、人々はそれに不満を持っている」という声を聞きます。

しかし、我々は、格差よりも「アンフェアネス（機会の不公正）」に重点を置くべきです。アメリカの企業のＣＥＯは、従業員の三百倍の給料をもらっている。これは確かに、是正すべき格差です。

それでも、ＣＥＯの給料を減らすことより、第一義的には、質の高い教育や医療、選挙の透明性確保などの方が重要です。システムが不公正でなければ、人は多くの格差に対しては寛大になるのです。

二〇一七年に、人は分配方法が〝公正〟だと思えるかぎり、分配結果が〝均一ではない〟ほうを好むという論文が発表されました。つまり、国が能力主義社会である限りは経済的不平等を受け入れるが、能力主義社会だと感じられなくなったときには怒りを覚えるということです。

フェアな経済の中でも格差は生まれます。他の人よりもリスクを取る人、独創的な人、勤勉な人、幸運な人がいるためです。

世界がグローバル化し、テクノロジーが進化した今、世界中に自分の製品やアイデアを売ることができます。その結果、少数の生産者が富を独占するかもしれませんが、累進課税を導入すればその格差を小さくすることができます。お金持ちの人が貧しい人よりも、負担する割合が大きくなる課税はフェアそのものです。お金持ちの人にとっての千ドルは、貧しい人の千ドルよりはるかに価値が小さいのですから。

楽観主義になるべき

幸福感は豊かさだけで決まるものではありません。豊かさはもちろん重要ですが、幸福感を決める要素は他にもあります。民主主義の中で自由に生き、自らの未来を選択できること、そして、頼れる家族や友人がいるという社会的つながり、社会的信用があるかなどです。他人を信用できず、搾取されるような社会的信用性が低い国は、幸福度も低い傾向があります。

我々が、パーフェクトな社会をつくることは不可能でしょう。しかし、科学や理性を大切にして進歩していくことは可能です。それはユートピアでもロマンティックな絵空事でもなく、エビデンスで示されています。

パンデミックというグローバルな危機から、人類はどのようにして回復できるのか、不安になるのも当然でしょう。この痛手から自然の成り行きで回復できるものではありません。適切な対策を講じて、正しい教訓を導き出してこそ、初めて回復の方向に向かうのです。この惨事が起きたことによって、科学、公衆衛生、適切なガバナンスの強化が求められるだろうという希望もあります。

目の前の危機に惑わされないために、自分の視点を変えることも重要です。過去と現在を比べ、データで現在の状況を冷静に判断しましょう。過去に進歩したのですから、我々がこれからも進歩できる見込みはあります。

楽観主義も悲観主義も自己予言的です。ならば、我々は楽観主義になるべきでしょう。人類はそうして危機を乗り越え、進歩してきたのですから。

第5章

新型コロナで強力になったGAFA

スコット・ギャロウェイ

Google, Apple, Facebook, Amazon——。それぞれの社名の頭文字を並べてGAFA（ガーファ）と呼ばれるIT業界の四強である。過去二十年間にわたり、知りたいことが一瞬でわかる検索エンジンや、SNSによる人々の新たなつながり方、豊富な商品群を持ったeコマースなど、我々の世界に技術の進歩と豊かさをもたらした。GAFAが生んだ富の額は、約二兆三千億ドルにも及ぶと言われる。

そのGAFAを「ヨハネの黙示録の四騎士」（それぞれが地上の四分の一を支配し、剣、飢饉、悪疫、獣によって地上の人間を滅ぼす権威を与えられた者たち）にたとえる人物がいる。『the four GAFA』（東洋経済新報社）を記した、ニューヨーク大学スターン経営大学院のスコット・ギャロウェイ教授（55）だ。同書は世界二十二カ国で刊行され、二〇一八年に日本で出版されると十二万部のベストセラーとなり、いまも読者の裾野を広げている。

ブランド戦略とデジタルマーケティングを教え、自身もシリアル・アントレプレナー（連続起業家）として九つの企業を立ち上げたギャロウェイ氏が、GAFAの功罪と、パンデミック後のGAFAの動向について説き明かした。

ビッグテックはますますパワフルに

新型コロナウイルスのパンデミックによって、GAFAをはじめとするビッグテック企業全般がますますパワフルになっています。彼らは巨額のキャッシュを貯め込んでいるので、ロックダウン（都市封鎖）で他の企業が困窮して守勢に回らざるをえないときに、攻勢に出られるからです。

ほとんどの企業が従業員を自宅待機させ、すでにレイオフ（一時解雇）しているところも少なくない中、フェイスブックはインドの通信最大手ジオ・プラットフォームズに五十七億ドルを出資し、動画サイトであるGIPHYの買収を発表するなど、攻めに攻めています。雇用も増やしていますし、五月二十二日に株価は過去最高値を更新しました。アップルも六月十日に株価最高値を更新し、時価総額で一兆五千億ドルを超えました。

今後しばらくは、ビッグテックによる企業統合の動きが続くことでしょう。パンデミックがはじまったころ、グーグルとフェイスブックがデジタルマーケティングの六〇%をコントロールしていましたが、おそらく七〇~八〇%までシェアが高まるのではないでしょうか。特にeコマースの売上が急増しているので、四月にはアマゾンの株価が過去最高値を更新しました。食料品もオンラインでの購入に大きくシフトしているため、その恩恵をアマゾンが受けているわけです。

アメリカの緊急経済対策は追加分も含めて三兆ドル規模ですが、その対策の恩恵に最も与《あずか》るのは、アマゾンとウォルマートの二社です。この二社が受け取るであろう莫大な資金に加えて、アメリカ政府は彼らと競合する企業の九八%に閉鎖を命じました。感染拡大防止のためですが、これは両社の株主にとって、信じられないくらいに有利なシナリオです。緊急経済対策は、「アマゾンとウォルマートの株主法(Amazon and Walmart Shareholder Act)」と呼んだ方がいいかもしれません。

電気・ガス・水道と同じ

この二十年ほどでＧＡＦＡは、もはやユーティリティ（電気・ガス・水道などの公共サービス）のように、人々の生活に欠かせないものになりました。スマホを持たず、ＳＮＳを使わず、ＧＡＦＡ抜きで生活することは、いまや電気や水道がないのと同じです。

何かを調べたければ、検索市場シェア九〇％以上のグーグルで検索をします。また、世界中の裕福な人々は、iPhoneやMacBookなど何らかのアップル製品を持っています。アップルの手元資金は約二千五百億ドル（二〇一七年）、デンマークのＧＤＰとほぼ同じです。そして、十二億人が毎日フェイスブックとのかかわりを持ち、ユーザーは一日五十分をフェイスブックに費やしています。

さらに、全米の五二％の家庭がアマゾン・プライム（日本では年間約五千円、アメリカでは約一万三千円で、配送料の特典や配信動画を見ることができる等のサービス）を利用しています。いまや、創業者のジェフ・ベゾスの資産は約一千三百八十五億ドルと、世界第一位です。

ＧＡＦＡは、脳・心など人間の感覚に直接アプローチします。これは、進化心理学の観点からも、成功するビジネスの共通点です。例えば、グーグルの検索エンジンは、私たちの脳が賢くなったと思わせてくれますし、フェイスブックは、あなたを友人と結びつけ、心に訴えます。さらに、他社との差別化や世界展開、ＡＩによるデータ活用などにより、ＧＡＦＡは世界の覇権を握りました。

ＧＡＦＡは高速道路の料金所

さらに最近では、他の企業がそのビジネスにアクセスすることが難しくなるよう、強大な資本力を武器に、独占状態を作っています。独占力の乱用と主張する人もいます。

例えばアマゾンやアップルです。アメリカでは今、動画配信会社のストリーミング戦争が起きています。HBO Max, Hulu, Disney Plus, Netflix が顧客獲得競争をしています。しかし、これらの企業のほとんどは、アマゾンやアップルに手数料を支払っています。視聴者はケーブルテレビ放送局のＨＢＯが制作した作品を見るとき、ＨＢ

Oにお金を払っているつもりかもしれません。しかし、ほとんどの場合、動画を見るためにアマゾンのAmazon fire stickや、アップストアを通じてダウンロードしたアプリを使用しています。すると、HBOはアマゾンや、アップルに手数料を払うことになるのです。例えば、アップルは、アプリを販売する外部事業者から、三割の販売手数料を徴収しています。

もはやGAFAは、高速道路にある巨大な料金所に変貌しつつあると言っても過言ではありません。

顧客の数が増えれば増えるほど事業の価値が高まり、顧客にとって便益が増すことを「ネットワーク効果」と呼びます。GAFAはネットワーク効果をてこにして、強固な独占状態を作りました。

その結果、新しい企業が市場を開拓できる余地がなくなりました。二十年前、アメリカでは起業から一年以内のスタートアップ企業の割合は全体の一五%でした。しかし、現在では七%に届きません。テクノロジー・デバイスやソーシャルメディア、サーチエンジン等の技術革新が激しい分野で、新しいスタートアップ企業は、資金を調達することができず、起業が難しくなったのです。ＧＡＦＡの支配によって、我々はイノベーションが起きない時代を生きざるをえなくなりました。

もちろん、ＧＡＦＡがもたらしたメリットは非常に大きい。しかし、化石燃料から恩恵を受けているからといって、気候変動の問題に目をつぶってよいとはなりません。ＧＡＦＡに独占禁止法などの規制が必要かどうか、見定める必要があります。

社会を分断するアルゴリズム

ＧＡＦＡがもたらしたデメリットは、イノベーションの行き詰まりだけではありません。社会の分断という問題もあります。

ＧＡＦＡの中から、フェイスブックとグーグルを取り上げましょう。この二つは世界で最も支配的なメディア企業ですが、そのアルゴリズムは中立で、世界を良くしようとも、反対に悪くしようとも思っていません。そして、両社とも広告収入を収益源とするビジネスモデルです。ですから、彼らは読者がクリックをして、より多くの記事や投稿と「つながること」を求めます。

その「つながり」を促す一番の要素は、「怒り」です。対立と激怒を煽る投稿こそ、多くのクリックをもたらすのです。少数派の人が書き込むネガティブな内容が、炎上して物議を醸し、広範にシェアされていきます。

例えばもし、「ワクチンが子供の病気を減らす」という科学的な記事を投稿しても、議論の余地のない事実なので、多くのコメントが集まることはないし、シェアもされません。ところが、もし私がセレブで、「ワクチンは自閉症につながるから、接種は止めるべきだ」と投稿すれば、すぐさま反論が寄せられ、多くの議論と怒りを引き起こします。

すると、フェイスブックとグーグルのアルゴリズムは、多くの「つながり」を検知して、彼らのビジネスモデルにとって「良い記事」だと判断します。そして、その投稿に人の目に触れる機会を多く与え、グーグルやフェイスブック内でのランキングが上昇するのです。

ワクチン反対派の投稿と同様に、白人至上主義者、科学否定論者、気候変動否定論者などの、実社会では無視する人も少なくない主張に対して、必要以上にスポットライトを浴びせてしまうのです。つまり、「怒り」と「つながり」を求めるアルゴリズムとビジネスモデルが、フェイクニュースを生み出し、社会を分断しているのです。

この問題を表現の自由と絡めて論じる人もいますが、そうではありません。科学や客観的事実に基づかない荒唐無稽な主張に、むやみにアピールの場を与えるべきではないのです。

また、このアルゴリズムは、あなたの政治的な好みを見極め、その考えを支持する記事を勧めるだけでなく、反対陣営の印象を悪くするデータも提供し始めます。たとえそれが虚偽の内容であっても、おかまいなしです。自分の政治的立場を補強してくれる記事を読むことは同族意識をくすぐり、ユーザーに満足感を与えるからです。その結果、社会の二極化が進行するのです。

我々はメディアではない

しかし、フェイスブックのスポークスマンは、このようなフェイクニュースについて「我々は真実の判定者にはなれない」と弁明しました。また、虚偽の政治広告を取り下げることを拒否しました。

我々が改めて心に留めるべきは、GAFAの唯一のミッションは金儲けだということです。編集権限やセーフガードを機能させ、ヘイト活動家が発信した、内容に問題があるコンテンツを排除することは、クリック数を減らし、多額の収益を失わせます。フェイスブックにはそうしたことを行うインセンティブが、全くないのです。

さらに〝我々をメディアと呼ばないでくれ。我々はプラットフォームだ〟という態度を貫き、フェイスブックは社会的責任を回避しています。アメリカ人の四四%がフェイスブックでニュースを見ているにもかかわらずです。

真剣にニュースビジネスに向きあう企業は、自分たちが報じるニュースに責任があることを認識しています。しかし、客観性やジャーナリスト倫理を徹底するためには、労力と費用がかかり、その分、利益が減ります。だから、フェイスブックやグーグルはメディア企業と見なされるのを嫌うのです。しかし、フェイスブック上で、「ニューヨーク・タイムズ」や「ワシントン・ポスト」の記事の横に並んでしまうと、フェイクニュースまで信憑性があるように見えてしまいます。

今回のパンデミックについて言えば、フェイスブックをはじめとするビッグテック企業は、虚報が拡散しないようにかなり注意を払っています。唯一の例外がツイッターです。ツイッターはほとんど何の努力もしていないので、新型コロナに関するフェイクニュースの新たな震源地となっています。彼らが警告文をつけたツイートは、トランプ大統領の投稿くらいです。

フェイスブックはパンデミックの危機を、これまでの贖罪《しょくざい》をする好機と捉えたのでしょう。この決断は非常に賢かったと思います。今までの悪評を払拭し、「良き市民」として再認識してもらおうとしているのです。ただし、問題は新型コロナ以外のテーマについても、虚報を減らす努力をするのかどうかです。

繰り返しますが、フェイスブックの使命は金儲けであり、彼らは自分たちの仕事をしているだけです。ミスをしたのは我々です。このような企業に対して、他のメディアと同じ基準を守らせる政治家を選挙で選ばなかったからです。

他のメディア企業ならば、噂や虚偽のデータに基づいた情報を流せば、大きなトラブルになります。しかし、フェイスブックのようなテクノロジーによって動くメディア企業に、我々は特別の待遇を与えてしまいました。

世界で最も危険な人物

フェイスブックとグーグルは、長期的に見ると、いかなる国民国家よりもパワフルです。フェイスブックは現在、南半球とインドを加えたよりも多い人々の考えに影響を与え、その方向性を変えることができるコンテンツを提供しています。

しかも、フェイスブックは選挙で解任されない人によって運営されています。トランプやプーチンでさえ、任期がある。にもかかわらず、マーク・ザッカーバーグは、あと七十年フェイスブックを運営するかもしれません。歴史を通して「権力は腐敗する」ことは自明の理です。

しかし、取締役会は彼を排除できません。三十六歳のザッカーバーグは、今や世界で最も危険な人物です。彼はアメリカという国の在り方や、国際社会にもまったく関心がありません。

フェイスブックの取締役会のメンバーで、アメリカや世界の行く末を案じていると思われている人たちには共通点があります。決まって任期が終わる前に会社を去っているのです。クリントン政権で首席補佐官を務めたアースキン・ボウルズや、ビル&メリンダ・ゲイツ財団の元CEOのスーザン・デズモンド＝ヘルマンが、昨年辞任しています。

国家による規制

それでは、国家がGAFAに立ち向かう可能性はあるのでしょうか。私は、今年か来年には、GAFAを禁止する国が出てくると思います。選挙が以前より公平でなくなっている、社会が以前より分断されている、経済成長や経済的利益の大部分が国外に持ち出されている、といった理由によってです。

また、EUでは、巨大なデータを集めるGAFAのパワーに対する反発があり、EU域内の個人データを保護する法律であるGDPR（一般データ保護規則）を二〇一八年から施行しました。この風潮は世界的に拡大していくでしょう。

というのも、非常に興味深い訴訟がグーグルに対して起こされたからです。二〇二〇年六月二日にカリフォルニア州で集団訴訟が提起されました。ユーザーがブラウザをシークレットモードにしてウェブを閲覧しているのに、グーグルはユーザーに明示することなく閲覧履歴を追跡・収集しているとして、原告側は五十億ドルの損害賠償を請求しているのです。原告側は訴状で「消費者がデータ・プライバシーを守るためにどんなセーフガードを使ったとしても、グーグルは閲覧履歴や他のウェブ上での行動を追跡し、収集している」と主張しています。こうしたデータ収集についてグーグルは複数の訴訟を起こされていますが、これが他の訴訟と異なるところは、連邦盗聴法を使おうとしていることです。この法律はプライベートな通信が傍受されたとき、傍受された側に訴訟を起こす権利を認めています。グーグルが閲覧履歴、具体的なウェブサイトのアドレス、ユーザーが検索した言葉などを収集することによって、ユーザーとウェブサイト間の通信内容を傍受していると原告側は訴えています。

カリフォルニア州にはすでにGDPRに似た法律があります。ターニングポイントとなったのは、二〇一八年、およそ八千七百万人の個人データをフェイスブックと不適切に共有した疑惑のある政治コンサルティング会社、ケンブリッジ・アナリティカが、大きな批判を受けて廃業したことです。

ケンブリッジ・アナリティカはフェイスブック上に「性格診断アプリ」を設置して、データを獲得しました。そこから得た利用者の政治的志向などの情報が、二〇一六年の大統領選でトランプ陣営によって不正に使われた疑いが明らかになったのです。これ以降、政府や監視機関は、GAFAの情報管理に対して懐疑的になりました。

しかしフェイスブックに政府が科したことは、罰金だけです。その額は五十億ドル。フェイスブックにとっては総収入の約十一日分、たった十一週間のキャッシュフローに過ぎません。国に悪影響を与える行動をとることのデメリットが、駐車違反チケット程度の罰金を時々支払うだけならば、彼らの行動はずっと続くでしょう。

また、新型コロナの感染拡大にあたり、グーグルとアップルは感染者追跡に役立つスマートフォン用アプリの開発に乗り出しました。これはいい傾向だと思います。緊急事態を口実にして政府や企業が個人情報を収集すれば、プライバシー侵害を許してしまう懸念がありますが、今回はそこまで懸念する必要はないと思います。危機に際しては通常とは違う対策が必要になりますし、アップルとグーグルは純粋にパンデミックのさらなる拡大を防ぎたいのでしょう。

個人の位置情報を収集されることに抵抗感があるかもしれませんが、あなたがグーグルマップやカーナビを使っていれば、すでに彼らはあなたが今どこにいるか把握しています。私たちが注意しなければならないことは、そのデータを感染者追跡以外の目的に使うのか、第三者に渡さないか、です。

さらに問題なのは、政府にこうした分野の知識のある人材がいるかどうかです。選挙で選ばれた議員のうち、テクノロジーやエンジニアリングの知識があるのは、わずか四〜八%です。対するGAFAは政府との戦いに備えて、ロビー活動を大幅に強化しています。ワシントンDCには、アマゾンのフルタイムのロビイストが百人ほどいます。彼らの日々の仕事は、アマゾンに不利な法律が日の目を見ないようにすることだけです。

生き残るのはどこか？

次に、二〇二〇年代のGAFAについて話しましょう。GAFAの中で、アップル以外の三社は二〇％強の成長率を維持しています。しかし、現在の事業を続けていくだけでは永遠に成長することはできないので、必然的にお互いのビジネス領域を食い合うことになるのです。

食い合いはすでに始まっています。例えば、グーグルや、フェイスブックを親会社に持つインスタグラムは、アマゾンの領域であるショッピングに参入しています。また、フェイスブックは、その投稿が消費者の購買欲をかきたてることで、商品を検索するグーグルやアマゾンから、マーケットシェアを奪っています。そして、アマゾンは検索エンジンとしてグーグルに次ぐ第二位で、扱う商品の数は最大です。

他にも新たな成長戦略として、フェイスブックは仮想通貨のリブラを計画し、アマゾンは輸送業に参入しつつあります。イノベーションの継続が成長のカギとなるからです。

リブラについて少し説明をしておきましょう。国境を超えて決済される資金は世界全体で年間五千億ドルの規模ですから、壮大なイノベーションの可能性を秘めていることは確かです。既存の金融機関を通じて日本から欧米に送金しようとしたら、それこそ住宅ローンを組むようなもので、面倒な手続きと多額の手数料が必要です。そこに大きなビジネスチャンスが眠っているのは確かです。ドルなどの法定通貨に担保された安定した仮想通貨（ステーブルコイン）が、近い将来に開発されるのは間違いありません。ただ、信頼されていないフェイスブックからは出てこないというだけです。

では、GAFAの中で最も生き残る可能性があるのはどれか？

難しい質問ですが、私はアマゾンだと思います。もし私が『the four GAFA』の続編として、『the one』というタイトルの本を書くならば、それはアマゾンについての本になるはずです。

例えばクラウド・ビジネスの分野では、AWS（アマゾン・ウェブ・サービス）の存在感が圧倒的に増しています。AWSは、二〇〇六年に設立された、企業向けのクラウドサービスを提供する子会社です。AWSは世界のクラウド事業におけるシェアが三二%でトップです。二位のマイクロソフトのシェアは一七%にすぎません。新型コロナで在宅勤務をする人が一気に増えましたが、仕事のためにクラウドを通じてデータをやり取りすることが多かったはずです。これもAWSに多大な利益を与えたことでしょう。

また、ほとんどの人は、アップルが最もイノベーティブな企業だと思っていますが、この五年間で最も革新的なハードウェア商品は、アマゾン・エコー(AIを搭載したスマート・スピーカー。声を認識して音楽再生やテレビ電話などさまざまな操作ができる)ではないでしょうか。グーグル・ホームもありますが、アメリカではエコーがシェア約七割を占めています。GAFAは様々な分野で食い合っていますが、アマゾンと重なるときは、たいていの場合アマゾンが勝つのです。

企業はいつか必ず死ぬ

しかしながら、歴史的に見ると企業の死亡率は一〇〇%です。ヒューレット・パッカードはほんの十年前まで世界最大のテック企業でしたが、リーダーに恵まれず崩壊しました。今でもマイクロソフトがテクノロジー業界の王者だと思っている人はいません。

「フォーチュン100」(雑誌『Fortune』が掲載する、グローバル企業の総収入ランキング)の企業の中で、百年前から続く企業は十一社しかありません。つまり、生物と同じように、世界中にあるすべての企業には終わりがあるのです。

加えて新型コロナという想定外の事態です。このウイルスが経済面に及ぼす影響は、「変化の担い手(change agent)」というよりも、「促進剤(accelerant)」としての側面が強いようです。もともと苦境に陥っていた映画館やデパートは、もう臨終寸前にまで追いやられました。ブティックやセレクトショップのような衣料専門店も、ショッピングモールから激減するでしょう。

今回最大の驚きは、二流大学の混乱です。アメリカでは学費が高くても、可能であれば子供を大学に進学させるべきだと考えられてきました。しかし、パンデミックで大学が閉鎖され、オンラインで講義を受けるようになると、この程度の教育に年間五万八千ドルを支払う価値はないと多くのアメリカ人が考えるようになったのです。

これが例えば一流のイエール大学であれば、ワールドクラスのブランド価値があるので、年間五万八千ドルを払う意味がありますが、二流大学のブランドとＺｏｏｍの講義に同じ金額を支払う人はいません。全米に二千八百の大学がありますが、今後五年間で五百〜一千校は倒産する可能性があります。二流以下の大学はデス・マーチ（死の行進）を、まさに今はじめようとしているのです。

逆に、一流大学にとってはチャンスです。講義の半分をオンラインで行えば、教室を倍にしたのと同じことです。学生の登録数を大幅に増やすことができます。すると、この四十年で十四倍にも値上がりした授業料を下げることが可能になります。

「都合の悪い事実」

GAFAはパンデミックでもパワフルとなり、全体の七〇〜八〇%の企業は弱体化するでしょう。つまり、格差がさらに拡大することになります。どの業種でもトップから二つ、三つまでの企業はリカバリーできるでしょうが、あとの企業は〝間引き〟されるのを待つのみ。危機を乗り越えた巨象は、競争相手がいなくなったので、ゆっくりたっぷりとエサの葉っぱを食べられるのです。

実際の経済では何が起きるのか？　株式市場は好況に沸くでしょう。というのも、株価は実体経済全体を表しているのではなく、富裕層トップ一〇%の経済的繁栄を反映しているからです。その一〇%の人々が株式の八〇%を保有しているからです。NASDAQを見て、それが実体経済の指標だと勘違いするのは危険です。それは富裕層のバロメーターでしかありません。実際に今日のNASDAQは、今年の元日よりも高値がついています。

今回のパンデミックにおける「都合の悪い事実（dirty secret）」はこれにとどまりません。感染拡大を防ぐために経済活動を停止したので、政府はPaycheck Protection Programを開始しました。これは従業員の給与、賃料、保険料、公共料金の支払いのために、一事業者あたり最大一千万ドルのローン（一部返済免除あり）を提供するというものです。政府はスモールビジネスを助けるための対策だと主張していますが、本当のところはミリオネアに資金を融通する制度です。というのも、アメリカにおける最も裕福な層は、スモールビジネスのオーナーたちだからです。

雇われている側の間にも格差が拡がっています。年収が十万ドル以上のホワイトカラーは在宅勤務ができ、裕福な世帯の六〇％は家族と過ごす時間が増えました。通勤に費やしていた時間がなくなったからです。

その一方で年収が四万ドル以下の階層になると、在宅勤務できる人は一〇％しかいませんし、四〇％がレイオフされています。同じパンデミックに遭遇しているはずなのに、年収十万ドル以上の人と四万ドル以下の人では、まったく違う現実を生きているわけです。

ただし、今回のパンデミックが普段忘れていたことに気づかせてくれたのも確かです。それが、わずかながらもポジティブな側面です。私は今ニューヨークを離れてフロリダに住んでいますが、排気ガスが劇的に減少して、空気がとてもきれいになりました。家族と過ごす時間が増え、限りある人生の価値を見直すとともに、人との関係の重要性を再確認する機会となりました。

ウイルスにとって国境が何の意味もないことに気づいて、私たちはもっと国際的な協調を大事にできるでしょうか。レジリエンスのある若い世代が、政治的党派性ではなく、科学に基づいた決断ができるようになるでしょうか。チャンスはいくらでもあるはずです。あとは私たちが、問題にきちんと気づくことができるか、です。

〝NEXT GAFA〟の名前

パンデミックの後でも成長を期待できる〝NEXT GAFA〟と言われる企業を見ていきましょう。現在、GAFAのライバルは中国のBAT（検索エンジンの百度《バイドウ》、

ＩＴ企業の阿里巴巴《アリババ》、ＳＮＳの騰訊《テンセント》）だと言われています。ＢＡＴが世界で最も価値のある十の企業に入ることは間違いありません。

「今や、インターネットは二つある」と言われます。二つとは、西洋のインターネットと、中国のインターネット「Great Firewall」（万里の長城 Great Wall とネットワークの壁である firewall をかけた言葉）です。

しかし、現在のところ、中国の企業がアメリカに入ってくる様子はありません。アメリカを成長市場と見ていないわけではなく、中国政権とアメリカが、非常に外国人嫌いで、愛国主義的だからです。

ＢＡＴとＧＡＦＡがぶつかり合う場所は、アメリカではなく、アフリカやインドでしょう。ＢＡＴは中国国内だけでなく、東南アジア全体で成長しているからです。

また、中国にはＧＡＦＡが進出しづらい理由があります。中国は、ＧＡＦＡのような企業を初めは迎え入れ、その後、知的財産を盗んでから追い出し、真似して起業した国内企業で利益の大半を獲得するというビジネスモデルを選択しています。それは、国同士が結ぶ、ありとあらゆる貿易協定に違反しています。

中国では国が中心となって個人データの収集を進めており、それは確かにBATの巨大なポテンシャルとなっています。しかし同時に、アメリカやヨーロッパが、国民の自由やプライバシーを重んじることもアドバンテージです。この違いは今回のパンデミックへの対処法でも明白なものとなりました。

例えば、中国のミリオネアの三分の一が自国の政府を恐れて中国を去ったらどうなるでしょうか。短期的には国民のデータを収集できるメリットはあっても、長期的に見れば、人々が無制限にデータを収集されるのを嫌がるデメリットもあります。

中国以外に目を向ければ、アルゼンチンには南米最大級のECモールであるメルカド・リブレ（Mercado Libre）があります。ドイツではザランドゥ（Zalando）がZOZOTOWNの七倍規模の売上を誇り、インドにはウォルマートに百六十億ドルで買収されたEC大手のフリップカート（Flipkart）がありました。

もちろん日本企業も、〝NEXT GAFA〟のプレイヤーとなる可能性はあります。ただ、もっとリスクテイキングを文化として認めるべきでしょう。アメリカには失敗を許し、イノベーションを受け入れる文化があるからこそ、世界中から最も優秀なエンジニアたちが集まってくるのです。

次の一千億ドル長者は

GAFAやBATに続く企業はどういったものになるでしょうか。AIを挙げる人が多いですが、AIをどう使うかが問題です。私は、次の一千億ドル長者は、テクノロジーとイノベーションをヘルスケアに投資し、応用する人だと思います。

なぜなら、ヘルスケアの進化は時間の節約になるからです。これまで病院で無駄にした待ち時間や、治療にかかった時間を、他のことに使えるからです。今、大半の人がコスト節約に重点を置きますが、ビッグウィナーとなるのは、時間を節約してくれる企業です。

アメリカで今、最も多くの投資を獲得しているビジネスは、動画配信のストリーミング・メディアです。もちろん豊富な動画コンテンツが魅力なのですが、それ以上に人々がストリーミングを利用する理由として大きいのは、余計なCMを見なくて済むからです。テレビを視聴せずにNetflixだけ見ていると、一年間で三百～四百時間も節約できるという調査もあります。

もし、スマート・カメラとAIがあれば、ヘルスケアの時間短縮は簡単にできます。まず、スマート・カメラを使って、X線で肺の画像を撮る。それをアップロードして世界のどこかにいる放射線科医に送ります。次に、ペイパルで支払いをして、報告書を手に入れる。すると、私の主治医が二、三十分のうちに報告書を読み、異常があればすぐに治療できるのです。

ただし、〝NEXT GAFA〟を占う前に、生活のほとんどすべてをGAFAに頼っている事実について、今一度、思慮深くならなければなりません。

私たちがイノベーターを偶像崇拝し、そしてこれらの企業が政府をも動かす資金力を持っていることは、危険な組み合わせです。GAFAは何十億人もの生活の価値を高めていますが、彼らの目的は、がんの撲滅や貧困の根絶ではなく、つまるところ金儲けだからです。

SNSを使用する十代の子供たちの間で鬱が増加していることをご存じでしょうか。

ソーシャルメディアが、彼らに不安や劣等感をもたらすことが原因です。

スティーブ・ジョブズをはじめ、多くのテック企業の幹部は、自分の子供たちにiPadなどのデジタルデバイスを使わせませんでした。テクノロジーに詳しいからこそ、それが与える害を認識していることを物語っています。ＧＡＦＡの負の側面から、私たちは目をそらしてはいけません。

第6章

景気回復はスウッシュ型になる

ポール・クルーグマン

ポール・クルーグマン氏（67）は、世界で最も影響力を持つ経済学者の一人であり、二〇〇八年にはノーベル経済学賞を受賞した。マサチューセッツ工科大学、スタンフォード大学、プリンストン大学で教鞭をとり、現在はニューヨーク市立大学大学院センターの教授で、「ニューヨーク・タイムズ」のコラムニストも務めている。

金融緩和やインフレターゲットを主張する「リフレ派」として知られ、異次元の金融緩和を軸とするアベノミクスの「理論的支柱」としての役割も担ってきた。ただし、二〇一四年には安倍晋三首相と会談し、消費税一〇％への引き上げの先送りを進言するなど、日本政府の一貫しないデフレ対策に批判的な目を注いでいる。

パンデミックで前代未聞とも言える経済活動の停止を余儀なくされ、早くも激動が予想される二〇二〇年代の世界経済をどう見据えているのか。そして、日本経済の行く末について聞いた。

「人工的な昏睡状態」

今回のようなパンデミックによるリセッション（景気後退）は、二〇〇八年のリーマンショックのような世界的な金融危機によるものとは、性質がまったく異なります。新型コロナウイルスによるリセッションを比喩的に表現すれば、「人工的な昏睡状態」でしょうか。医学では事故などで脳に重篤な損傷を負った患者を、回復するまでの間、脳機能の一部を停止させて昏睡状態にしておく治療法があります。経済活動のシャットダウンは、これに似ていると思います。

レストランやスポーツイベントなど「不要不急なもの」で、人との接触機会の多いビジネスは、感染拡大を防止するためにすべてシャットダウンされました。生活に必須でない業種を除いて、すべての企業が封鎖です。つまり、パンデミック対策として経済が一時的に昏睡状態に置かれたわけです。この強制措置については異論もありましたが、疫学者の意見に従うべきだというのが、一流の経済学者たちの圧倒的なコンセンサスです。

ただし、気をつけておかねばならないのは、この一時的措置は波及効果が大きいことです。おそらく労働人口の二〇％ほどが突然仕事を奪われ、収入がなくなってしまいました。このような人々に財政援助をすることが喫緊の課題なのです。企業も同じです。売上がなくなり困窮する企業が続出して倒産が相次げば、さらなる金融危機を引き起こす危険性が高まります。

バズーカ砲を撃て

前回の金融危機で各国の中央銀行が学んだ教訓は、ためらわずにバズーカ砲（強力な金融緩和策）を撃つことです。今回、ＦＲＢ（米連邦準備制度理事会）は速やかに資金供給を行い、少なくとも金融セクターに危機が及ぶことを防ぎました。

二兆ドル規模の新型コロナウイルス経済対策法は、予想より良い内容でした。通常は失業保険をもらえないギグワーカー（フリーランス）も給付対象となりましたし、州からとは別に連邦政府から週六百ドル支給されるのであれば、低所得者層にとっては、雇用されているのと変わらない収入が保てます。

こうした経済対策によって財政赤字が四兆ドル以上、つまりアメリカのＧＤＰの二

○％にもなることを懸念する向きもあります。後からFRBが金利を上げたり、インフレになるのではないか、と言うのです。

しかし、そんなことを懸念するのは間違いだと、前回の金融危機でわかったはずです。国の借金は問題ではありません。金利が成長率よりも低ければ、最終的にはGDPに対する借金の割合は徐々に減っていきます。莫大な借金を抱えている日本よりも少ないですし、日本はあれだけの借金を抱えていても問題ありません。

しかし、それでも失業者への支援はまだまだ足りません。本当のリセッションは、新型コロナの猛威が収束した後に来るものであり、しつこいほど長く続くと考えるべきです。

短期的なインパクトで見た場合、その被害を受けている層は必ずしも現在の格差構造と一致しているわけではありません。ホワイトカラーでもその業種がパンデミックに巻き込まれて失業した人もいますし、ブルーカラーの最低賃金層でも新型コロナの影響を受けない業種であれば解雇されていません。非常にムラがあるのです。

とはいえ、ソーシャル・ディスタンスを実行して自己防衛できるか否かは、社会階層に深く関係しています。通勤するのに地下鉄やバスなどの公共交通機関を利用しないといけない人や、郊外ではなく人口が密集した地域に住んでいる人は、やはりウイルスに感染するリスクが高くなります。

そして、これから感染拡大が問題となっていくのは、地方の貧しい地域でしょう。都会よりも感染の拡がるスピードが遅いので、だんだんと被害が増えていくのです。病院など医療インフラが十分でない地域も多く、都市と地方の格差問題が浮き彫りになることでしょう。

スペイン風邪の大流行に学べ

トランプ大統領をはじめとして、各国首脳たちの中では、一刻も早い経済活動の再開を訴える声が大きくなっています。経済と人命の価値、この二つのバランスをいかにして取っていけばいいのでしょうか。

今回の新型コロナによるパンデミック不況を考えるにあたって、最も類似しているケースは第一次世界大戦終盤の一九一八年からはじまったスペイン風邪の大流行でしょう。スペイン風邪の流行後、経済的に比較的早く立ち直った地域の特徴がわかっています。それは流行当初に経済的な打撃を大きく受けたものの、ソーシャル・ディスタンスをきちんと守った所であり、結果的に死亡者数も少なかったのです。

新規の感染者数がある程度落ち着いたからといって、早まって経済活動を再開してしまうと、裏目に出てしまうようです。すぐに感染者が急増し、再びロックダウン（都市封鎖）しなければならなくなります。

普通に考えれば、大きな政府で社会保障が充実している国が、新型コロナ対策でも成功しているように思いますが、必ずしもそうではありません。たとえば福祉国家として知られるスウェーデンは都市をロックダウンしない方針を選びました。フィンランドやノルウェーなどの近隣諸国と比較すると、明らかに死亡者数が多く、かと言って経済的パフォーマンスが良いわけでもありません。

そう考えますと、経済を回すことを優先させるよりも、まずは感染症対策の最前線にいる医療関係者と、経済的シャットダウンで打撃を受けている人たちをサポートするべきなのです。早すぎる経済活動の再開は、かえってダメージを大きくするだけです。

新型コロナの流行が拡大しはじめた当初、もっと国際的な協力態勢が築けていればと痛感します。ＷＨＯにしても国際機関でありながら、対応が遅れたのみならず、中国に嘘をつかれていたわけです。もし新型肺炎についての情報がＷＨＯに入ったとき、アメリカのＣＤＣ（疾病予防管理センター）に知らせていれば、中国の武漢に研究員を派遣して感染拡大を止められたかもしれません。情報を隠していた中国も悪いですが、ＷＨＯは国際機関としての機能を果たしていません。

エボラ出血熱や豚インフルエンザのとき、アメリカはウイルスを封じ込めることができましたが、今回は明らかに失敗しました。これはＣＤＣに責任がありますが、さらに責任を負うべきは中国とＷＨＯでしょう。

ですから、今回のパンデミックから学ぶべき教訓は、迅速に強固な国際協力態勢を築くことの重要性です。

二歩進んで一歩下がる

このパンデミックからの回復には、かなり長期間かかることを覚悟するべきです。個人レベルから、企業、地方政府のレベルに至るまで、経済的に大きな打撃を受けました。そうなると、先行きの不安から人々は貯蓄をしようと考えます。それが消費に影響してしまうのです。

景気回復のカーブはU字型でもV字型でもなく、スウッシュ型になるでしょう。ナイキのロゴマークのようなカーブのことです。最初は急降下でかなり下まで落ちます。それから徐々に回復に向かうわけです。その回復基調もスムーズではなく、二歩進んで一歩下がるというものかもしれません。

なぜ、ここまで景気回復が遅れると予測するのかというと、そもそも新型コロナウイルスが流行する前から、世界経済の行方に不透明感が増していたからです。

二〇一九年末、米中貿易戦争やイギリスのEU離脱など、長期にわたり世界経済に混迷をもたらしてきた政治イベントに大きな動きがありました。そのため、その後の世界経済は「視界良好」だと思っていた人もいるかもしれませんが、各国の動向を注視すれば、決してそうではなかったことがわかります。

今年十一月に行われる大統領選で、ドナルド・トランプ大統領の「再選リスク」を抱えるアメリカや、米中貿易戦争の影響で経済成長に陰りが見られる中国、いま、リセッションの危機に直面しているEU……。すでに世界経済のいたるところにリスクが潜んでいて、予断を許さない状況だったのです。

日本経済も同様でした。私が最も懸念していたのは、消費増税による景気の冷え込みです。「軽い景気後退」にあると見られていた日本経済にとって、今後、本格化してくる消費増税による悪影響は決して無視できないものでした。その前途は決して明るいものとは言えなかったのです。

新型コロナがなければ、日本は東京五輪で盛り上りをみせたことでしょう。その一方で、五輪後の景気反動を心配している人まで少なからずいました。ただし、五輪そのものは日本経済に対してそれほど大きな影響を及ぼさないでしょう。日本は一億三千万の人口を持ち、五兆ドルに迫るＧＤＰを誇る巨大経済国家です。五輪といえども、日本経済からみればひとつのイベントに過ぎません。

日本経済にとって、やはり最大の懸念材料だったのは、二〇一九年十月に行われた消費税率の引き上げです。はっきり言って増税はすべきではありませんでした。その悪影響が心配ですが、パンデミックによって状況はさらに悪化しています。

消費増税は税収を減らすだけ

そもそも日本経済は数多くの問題を抱えています。まず、低い出生率と歯止めのかからない高齢化による人口減少という、長期的に経済を低迷させる構造的な問題があります。それに加えて、最近では家計貯蓄率が高く、個人消費が伸び悩んでいます。

消費増税は、緊縮財政に当たります。本来、緊縮財政は、景気の過熱を抑えるために行うもの。デフレの局面で行っても、日本経済を悪化させるだけです。実際、二〇一九年十月のＧＤＰは前月比マイナスに落ち込みました。どうしても消費税を上げたいのであれば、これまで目標としてきたインフレ率二%を達成し、好景気になるのを待つべきでした。

なぜ増税したのか、まったく理解できません。ただ単に、消費税率を上げるだけでは、税収の増加にはつながらないからです。景気が十分に回復していないときは、消費税の税収自体は上がったとしても、そのぶん景気の冷え込みで法人税や所得税などが下がり、全体の税収はかえって落ち込んでしまうのです。

さらに安倍首相は消費増税に伴って、キャッシュレス決済によるポイント還元制度を導入しました。日本でも「実質的な減税措置だ」という声が上がっていますが、私もなぜ導入したのか、その理由がまったくわかりません。

他の先進国と比べて、日本は極端な現金主義の社会ですから、日本政府が国内から完全に現金を排除することを狙ったのであれば、話はわかります。でも、そんなわけはないでしょう。キャッシュレス決済を普及させるためだけに、なぜポイント還元という実質的な減税措置までとらなければならないのか。全く不可解な制度です。安倍首相の政策には一貫性がみられません。

インフレ率を上げろ

消費増税のほかにも、日本経済は深刻な問題を抱えています。インフレ率の低迷です。安倍首相は、アベノミクスの「三本の矢」の一つ、「大胆な金融政策」のなかで、二%のインフレ目標を掲げました。しかし、二〇一八年のインフレ率も一%程度に留まり、目標を達成できていませんでした。これでは、持続的な経済成長など望むべくもありません。

低インフレ率にあえいでいるにもかかわらず、日本で大きな不満の声は上がっていません。これはとても奇妙なことです。

いまの日本にとって、インフレ率を上げることは急務です。経済を成長させるためには、まず、個人消費が十分でなければなりません。個人消費が不十分であれば、それを刺激するために利下げが必要となります。しかし、名目金利を下げることには限界がある。

そこで重要となるのが、名目金利にインフレ率を加味した実質金利です。仮に名目金利が一%だとしても、将来的に二%のインフレが達成されると人々が期待すれば、実質金利はマイナス一%となります。インフレ率を上げれば、実質金利が下がり、個人消費は喚起されるのです。

また、インフレ率の上昇は、日本の財政も改善させます。日本は約一千百兆円という世界最悪の借金を抱えています。インフレ率が上がれば、貨幣の価値が下がるわけですから、実質的な債務残高は軽減されます。

日本経済にとって良いことずくめにもかかわらず、なぜインフレ率を上げることを求めないのでしょう。

インフレ率が低迷している直接的な原因は、企業が賃金を十分に上げないことと、モノの価格を上げたがらないことにあります。しかし、それだけではありません。我々がいま目の当たりにしているのは、日本の金融政策の限界です。

二〇一三年四月、日本銀行の黒田東彦総裁はマネタリーベース（日本銀行が供給する通貨）を二年間で倍増させる「異次元の金融緩和」を打ち出しました。非常に大胆な金融政策で、私は「近い将来、日本が世界経済にとっての成功モデルになる」と大きな期待を寄せてきました。これまで、ある程度の成果を上げてきたことは事実ですが、ここにきて限界がきているようにみえます。

そもそも、大胆な金融政策だけでインフレ目標を達成することは難しい。中央銀行による金融政策とともに必要なのが、政府による減税や公共投資などの財政支出なのです。

歴史的にインフレ率の低迷に苦しむ国が何をしてきたか。それは戦争です。戦争の遂行には莫大な支出が必要となりますから、自然とインフレにつながります。戦争は財政面から見れば公共投資。すなわち、財政支出に当たるのです。

もちろん、インフレ目標を達成するために日本が戦争を行うことはありえません。ただ、いまの日本は異次元の金融緩和によって、マイナス金利です。この状況でインフレ率を上げるためには、戦争に匹敵するほどの爆発的財政支出が求められます。

ところが、安倍首相は財政支出の拡大に対する政治的欲望は全くないように見受けられます。それどころか、消費増税によって緊縮財政に踏み出してしまいました。大規模な金融緩和をする一方で、緊縮財政をしてしまっては、やっていることがあべこべです。

新型コロナの緊急経済対策として、リーマンショック後の対策を上回る三十九兆円の財政支出を決定しましたが、中身を見ますとパンデミック収束後の需要喚起策なども含まれており、緊急対策としてどこまで効果があるのか、疑問です。

日本銀行には財政政策を司る権限はありませんから、爆発的な財政支出に踏み切れるかどうかは、究極的には安倍首相個人の問題です。日本が、今後の十年、二十年も持続的な経済成長を遂げることができるかどうか。ひとえに、安倍首相の決断にかかっているのです。

統一政府なきEU

イギリスがEUから離脱したことで、ヨーロッパ経済の先行きに対する不透明感が消えたように言われますが、そうは思いません。新型コロナ以前から、私はEUが世界で最もリセッション・リスクが大きい経済圏だと見ていました。

EUも日本に通ずる構造的な問題を数多く抱えています。人口増加率の低さに加えて、家計貯蓄率が高く、個人消費が伸びていない。その結果として、インフレ率の低迷にあえいでいます。日本と同じく二%のインフレ目標を掲げていますが、昨年八月のインフレ率は前年同月比一%と目標の半分です。ついには、目標の見直しを検討していると報じられるまでになりました。

ECB（欧州中央銀行）は、こうした状況を打開しようと、対策を続けてきました。昨年九月に三年半ぶりの利下げに踏み切り、大規模な量的緩和を含む包括的な金融緩和策を行ったのです。ただ、既に有効な手は打ち尽くしてしまい、今後、ECBに更なる手立てがあるかというと、疑問です。

いまのEUは、いわば故障した自動車です。これから進むのがデコボコ道であることがわかっているのに、衝撃を吸収するためにサスペンションに備え付けられた「ショックアブソーバー」がありません。ショックアブソーバーがありませんから、凹凸を乗り越えようとしても、対処のしようがありません。小さな障害物にぶつかっただけで、車が破損してしまう危険性があるのです。

中央銀行の金融政策に効果がみられない場合、政府が行う財政政策が二人三脚になって危機に立ち向かう必要があります。問題の構図は日本と同じです。

ただ、EUは日本と違って、独自の「政府」がないため、さらに深刻です。政策執行機関である欧州委員会はありますが、各国政府から選ばれた代表者が集まっているため、足並みの揃った経済政策を取ることは容易ではない。危機が起きても、「アベノミクスEU版」のように、トップダウンの動きができないのです。

今回のパンデミックでEUは予想以上の被害を受けました。とくに最初にウイルスの猛威にさらされたイタリアの経済的ダメージは甚大です。そもそも前世代からの借金を抱えているので、財政状況が綱渡りなのです。

IMF（国際通貨基金）によると、二〇二〇年の経済成長率はイタリアがマイナス九・一%、スペインがマイナス八%と予測されています。両国の首脳は早くからEUに支援を求めていました。こういう危機においてはコロナ債（ユーロ全体の信用で発行する債券）が発行できればいいのですが、イタリア、スペイン、フランスが要請したにもかかわらず、ドイツとオランダが反対に回りました。通貨連合ではあるが、統一した政府を持たないＥＵの弱点が露呈したのです。

二〇〇八年の金融危機のとき、フロリダとスペインを比較してみたことがあります。どちらも気候が温暖で観光業が盛んで、非常に似ています。そして、どちらも住宅バブルが破綻しました。すると、フロリダは連邦政府が支援に乗り出し、失業手当が支給され、銀行も救済されました。一方のスペインはＥＵから強力な支援を受けられず、ほぼ自国でバブル崩壊の後遺症を処理するはめになりました。

ドイツはＥＵの「問題児」

そうした中で、ＥＵ全体をまとめて、財政支出の拡大を主導できるのは、ＥＵトップのＧＤＰを誇るドイツしかいません。

ただし、ドイツはＥＵのリーダー格であると同時に、「問題児」でもあります。これまで、緊縮財政を長く続けるなど、財政政策については、他の国とは異なった独自の〝知的世界〟に生きてきました。

二〇一〇年に欧州経済危機が発生したとき、ギリシャやスペインは債務削減を余儀なくされました。ところが、ドイツはなんの対策も取ることなく、その後もGDPを伸ばし続けました。苦境に陥ったEUの国々を助けなかったのです。

どうやら、今回も、財政拡大に取り組もうとする意思はないようです。このドイツの姿勢が、EUにとって、大きなリスク要因なのです。

昨年十一月、クリスティーヌ・ラガルド氏が女性で初めてECBの総裁に就任しました。就任直前までIMFの専務理事を務めていて、知的で融通の利くリーダーであることは間違いありませんが、政策については「ひどい奴らの中ではまだマシ」という程度でした。彼女は就任後、ドイツをはじめとしたEU各国に財政支出の拡大を求めました。EUの構造的な問題を解決してくれることに期待しています。

米中貿易戦争の勝者は？

世界経済の行方に影を落とし続けた米中貿易戦争でしたが、昨年の十二月に進展がありました。米中両政府は、中国によるアメリカからの農産物の輸入拡大と追加関税の緩和など、「第一段階の合意」を発表したのです。

これを受けてトランプ氏は、記者団に対し、「驚異的なディール（取引）だ。すさまじい量の工業製品や農産品をカバーしている」と語りました。事あるごとに、彼は貿易戦争における「勝利」を声高に主張しています。

ただ、アメリカの「勝利」は事実とはいえません。米中貿易戦争の最中、中国の対米輸出額は思ったほどには下がらず、アメリカの消費者は中国に対する高い関税を支払い続けることを余儀なくされました。一方で、アメリカから中国への輸出額は大きく下落しました。トランプ氏がいくら言葉を重ねたとしても、彼は敗北を喫したのです。

一方、非常にタフな交渉を続けた中国も、貿易戦争の影響を免れませんでした。二〇一九年の第3四半期のGDPの伸び率は前年比六・〇%。これは、二十七年ぶりの低成長です。つまり、米中貿易戦争に「勝者」はいなかったのです。

私はこれまでの十年間、中国経済の減速を予想してきました。二〇一五年頃から、一九九〇年代の日本のバブル崩壊に近い兆候が見られましたが、それがいよいよ本格化してしまったといえます。

このたびのパンデミックを受けて、中国の二〇二〇年第1四半期の成長率は前年同期比でマイナス六・八%。統計が公表されている一九九二年以降で初めてのマイナス成長を記録したのです。

貿易戦争に敗れたアメリカですが、トランプ氏は「第一段階の合意」に先立つ昨年十一月、NYダウが過去最高値を記録すると、「米国史上最も素晴らしい景気だ」と語りました。たしかに、二〇一八年に二・九%の経済成長率を達成し、二〇一九年も二%強と、先進国で最も高い成長水準と讃えられることもありました。

ただ、この数字には注意が必要です。生産年齢人口が縮小している日本に対し、アメリカは増加しています。人口を考慮すれば、この経済成長率は決して目を見張るようなレベルの数字ではありません。

断っておきますが、私はリセッション・ガイ（景気悲観論者）ではありません。ですから、アメリカ経済の行方に恐慌が待ち受けているとは思いませんが、パンデミックで最も大きなダメージを受けたのは、アメリカなのです。

早期にロックダウンしていれば

アメリカがロックダウンを二週間早い三月一日からはじめていれば、COVID-19（新型コロナウイルス感染症）による死亡者が五万四千人少なく抑えられていたという試算結果を、コロンビア大学の研究チームが発表しました。死亡者数と同様に、ロックダウンを早く実施していれば経済的ダメージも軽減できたのでしょうか？

深く考えてみましたが、そう簡単に答えの出る問題ではありません。

韓国は感染者と接触した可能性のある人をすべて追跡調査し、大量にPCR検査を実施しました。アメリカが韓国と同じように徹底した対策をできなかったのは、医療リソースの限界など多くの理由がありますが、ウイルスの蔓延を止めるために実行すべき手段は今とほとんど変わりません。つまり、完全なロックダウンです。

もしロックダウンをもっと早期に行っていたとしても、経済を一度止めることに変わりはないので、失業率は同じだったはずです。何が変わっていたのかと言うと、ロックダウンの期間でしょう。感染者の数がはるかに少ない時点でロックダウンに踏み切っていれば、感染拡大の規模が小さく済み、ロックダウンをもっと早い時期に解除できたかもしれません。

つまり、どれだけ経済が急激に下降するかという深刻度の問題ではなく、不況の期間が変わっていたかもしれません。このウイルスの脅威にもっと早く気づいて対処していれば、不況に耐えなければならない期間がもっと短くなった可能性はあります。

ちなみに、いまも成長を続けているのはアマゾンくらいのものです。三〜四月で十七万五千人の追加雇用をしています。巨大な配送センターのネットワークがあり、そこに何十万人という従業員がいるからこそ、商品が届くのです。予想外だったのはクルーズ船です。今、クルーズ船で旅行に行きたい人などいるはずがないと思っていたのですが、来年の予約がけっこう入っているそうです。

トランプ大統領再選というリスク

新型コロナ収束後のリスク要因は、トランプ大統領の再選です。十一月に控える大統領選の行方は、「God Knows＝神のみぞ知る」ですが、私個人としては、再選は望んでいません。彼の経済政策は、基本的には、企業や富裕層に対する減税をはじめ、共和党のオーソドックスな政策を踏襲しています。ただ、その政策は財政赤字を増やすだけで、これまでほとんど効果を上げてきませんでした。

トランプ氏が再選された場合、アメリカ国内にとって最も心配なのは、格差の拡大です。トランプ氏は、「保険料が高すぎる」として、オバマ前大統領の医療保険制度「オバマケア」の廃止を掲げています。もし、本当に完全撤廃されてしまうと、二千万人が保険を失う恐れがあり、格差の拡大が深刻化します。アメリカ史上、最もフェアではない社会が生まれる危険性があるのです。私はアメリカがこれまで築き上げてきた民主主義そのものが崩壊してしまうことを危惧しています。

トランプ氏再選のカギは、彼がどの程度まで保護主義的な貿易政策を推し進めるかにかかっています。アメリカ国民の中に、心の底から保護主義を望んでいる人はいないでしょう。なぜなら、これまでトランプ氏が行ってきた貿易政策は、アメリカ経済にとって大きな問題を生み出したからです。それは、企業の設備投資の驚くべき弱さです。昨年七~九月期の設備投資額は、全米でマイナス二・七%を記録しました。

トランプ氏は二〇一八年、企業と個人合わせて十年間で一・五兆ドルという過去最大規模の減税措置を実施しました。この発表を聞いたとき、減税によって大きな設備投資が生み出されるとまでは思いませんでしたが、それにしても全く生み出さないとは驚きました。

企業が設備投資を抑制する要因は、トランプ氏の保護主義によって生み出された、先行き不透明な世界経済の状況にあると思います。たとえば、中国との取引に依存している企業の場合、米中貿易戦争の見通しが立たない中では、積極的な設備投資などできるはずがありません。そこに新型コロナウイルスによるマイナス要素がのしかかったわけで、ますます投資を控えるでしょう。

アメリカは二十兆ドルに迫るGDPを持つ巨大経済です。本来であれば、トランプ氏といえども、これほど大規模な経済を根本的におかしくすることは難しいのですが、彼の貿易政策がアメリカ経済に害をもたらしたことは、厳然たる事実です。

日本の行く末は

世界経済全体にとっても、アメリカ大統領選は、二〇二〇年代の行方を大きく左右します。トランプ氏の頭の中は、壊れた家具がごちゃ混ぜに詰まった屋根裏部屋のようなものです。予想もつかないことを突然言い出すのは日常茶飯事。もし、彼が再選されれば、世界経済はさらに混迷を深めることになるでしょう。

再選されたトランプ氏がさらなる保護貿易主義に舵を切れば、世界中で本格的な貿易戦争の時代に突入します。そのとき、各国がどんな行動を取るか、自ずと明らかになる。今後も見通しの難しい世界経済にとって、アメリカ大統領選が行われる今年の十一月はやはり大きなターニングポイントになります。

もちろん、日本経済も無縁ではいられません。これまで、日本の厳しい現状を指摘してきましたが、私は決して悲観的な見方をしているわけではありません。日本は最終的に自ら進むべき道を見定めるはずです。

日本は世界でも有数の「プロダクト・エコノミー（良品を生産する経済）」を形成しています。世界中の人々はまだまだ良質な日本製品を欲しがっている。今後、東京の道路が荒れ果て、雑草が生えてくるような状況に陥ることはないでしょう。

来年の今頃には世界情勢がよりクリアになっていることは間違いありません。もし私がビジネスマンであれば、当面は、投資を控えます。先が見通せない状況では、それが誤った投資になる危険性が高いですから。

ただし、アメリカでも日本でも、多くの企業はキャッシュを貯め込んで、その上にあぐらをかいているだけです。それは一企業としては賢い考え方かもしれませんが、全体としては経済を減速させることにしかなりません。座して待ちつづけるだけでは、何も生み出さないのです。

追記

アメリカを愛し、その将来を期待する人々にとって、今は悲しみのときです。思わず涙に暮れてしまう人々を知っていますし、そうでない人たちは放心状態で歩きまわっています。

毎日、衰退を示す新たな指標がもたらされているようです。やればできるはずの国家がパンデミックに対処できない国になり、自由世界のリーダーが国際機関の破壊者となり、近代デモクラシー生誕の地が独裁主義を志向する者に支配されています。なぜ、すべてがこんなにも早く、間違った方向へ行くのでしょうか？

私たちは答えを知っています。ジョー・バイデンが言うように、「奴隷制度の原罪が、私たちの国を今日汚しているのです」。

アメリカ人でない友人に時々尋ねられます。なぜ世界で最も裕福な大国が国民皆保険制度を導入していないのだと。その答えは、人種です。一九四七年に国民皆保険制度がほぼ適用されつつあったのですが、人種が統合された病院につながるのではないかと隔離主義者たちが恐れて阻止したのです（人種統合病院は一九六〇年代にメディケアが実現しました）。連邦政府がコストの大部分を負担するのに、医療費負担適正化法のもとメディケイド（州が運営する低所得者向け医療費補助制度）の適用拡大を拒んだ州のほとんどが、かつての奴隷州でした。

五月二十三日にイタリア系アメリカ人の経済学者、アルベルト・アレシナが急逝しました。彼の最良の研究成果として、なぜアメリカにはヨーロッパ型の福祉制度がないのかを検証した共同論文があります。その答えは、詳細に記されていますが、人種による分断でした。アメリカでは、そうした制度の受益者は自分たちとは違う「あの人たち」だと考える人があまりにも多いのです。

いま、アメリカは一昔前に比べれば、実際には人種差別社会ではありません。一九六九年には、白人と黒人の結婚を認める白人のアメリカ人は一七％しかいませんでした。ロナルド・レーガン大統領の一期目でさえ、その割合は三八％にしか上がりませんでした。そして二〇一三年、八四％になりました（ちなみに私の妻はアフリカ系アメリカ人です)。

しかし、もし(白人警官に殺された)ジョージ・フロイドが生きていたら、言ったことでしょう。人種差別はまだまだ残っていると。そして、アメリカ人が個人としては寛容さを増しているのに、シニカルな政治家が人種間の緊張を強化させているのです。彼らは白人の差別観につけこんで政策を売りつけます。でも、その政策は、肌の色には関係なく、労働者たちを苦しませるものなのです。

そして無論、人種的な敵愾心《てきがいしん》こそがドナルド・トランプを大統領にしたのです。知性的にも道徳的にも、彼ほどこの仕事に向いていない人物を思い浮かべるのは難しいでしょう。しかし、彼は非常に優秀な罵《のの》り屋で、多くの悪魔を召喚しました。私のメールボックスには今までにないほど多くの反ユダヤ主義的な侮辱や脅迫が寄せられています。そして、彼の偏見へのアピールが献身的な支持基盤を与えたのです。

今、私たちは危機の瞬間を迎えています。アメリカが象徴する良きことすべてが、原罪という猛毒の遺物によって危険に晒《さら》されています。私たちは危機を乗り越えられるでしょうか？　正直なところ、私にはまったく自信がありません。

あとがき

本書は、名著『銃・病原菌・鉄』で世界的に知られるジャレド・ダイアモンド氏、ノーベル経済学賞受賞者のポール・クルーグマン氏ら、世界を代表する知識人六名に、早くも二十一世紀が半ばに向かうにあたり、世界と日本の行く末を問うたものです。

最初のインタビューは二〇一九年の十一月から十二月にかけて、ニューヨーク、ボストン、ロンドン、東京の各都市において行いました。このときのインタビュー内容は一度、『文藝春秋』(二〇二〇年二月号)で発表しています。

年が明けて二〇二〇年に入ってから、当初は中国に局限されていた新型コロナウイルスが猛威を振るいはじめ、三月には予想をはるかに超えて世界的な大惨事となりました。二〇二〇年代を見通すにあたって、新型コロナウイルスの及ぼした影響を見落とすわけにはいきません。急遽、六人の知識人たちに追加取材を申し込みました。

インタビューは、オンライン会議アプリのZｏｏｍや、電話、そしてメールでのやりとりも含めて、五月から六月にかけて行いました。多忙を極める中にもかかわらず、六人の各氏には快く取材に応じていただき、改めてお礼を申し上げます。

このパンデミックを世界史的な視座からどう見るべきか、景気はいつごろ回復するのか、新しい生活様式はどうなるのか、AIはパンデミックを解決できるのか——さまざまな視点から深い考察が繰り広げられました。

さらに、感染拡大防止のため都市が封鎖される中、五月二十五日にアフリカ系アメリカ人男性が白人警察官に暴行および殺害されるという悲惨な事件が起きました。抗議デモは全米各地に拡がり、欧州でも人種差別反対の声が響きわたりました。これについては、クルーグマン氏が「追記」を寄せてくれています。

この新型コロナウイルスの流行拡大において、あえてポジティブな側面を見出すとしたら何か？

それは、私たちに深く考えるきっかけを与えてくれたこと。

六人がすべて、そう答えたことが印象的でした。自分の職業キャリアの価値を見直す、生きる意味を再考する、家族と過ごす時間の大切さを考える――多くの人々にとって、今回のパンデミックが人生をありとあらゆる面から捉え直す機会になったことは間違いありません。

感染拡大が収束した後でも、ウイルスが我々の世界に与えた影響は、はかりしれません。それは何十年にも及ぶものかもしれません。それでも、そのようにパンデミックを少しでも前向きに捉えることで、私たちは前進できるのだと思います。それが、クルーグマン氏の言うように「二歩進んで一歩下がる」ものであったとしても。

最後に、『文藝春秋』で担当してくれた矢内浩祐氏、新書担当編集者の松﨑匠氏、そして新書編集部長の前島篤志氏には多大な協力をいただきました。この場を借りまして感謝の気持ちを表したいと思います。

二〇二〇年七月　東京にて

大野和基

著者紹介

ジャレド・ダイアモンド（Jared Diamond）

カリフォルニア大学ロサンゼルス校（UCLA）地理学教授。1937年生まれ。ハーバード大学で生物学、ケンブリッジ大学で生理学を修め、その後、研究領域を進化生物学、鳥類学、人類生態学へと広げる。UCLA医学部生理学教授を経て、現職。

マックス・テグマーク（Max Tegmark）

マサチューセッツ工科大学（MIT）教授。1967年生まれ。専門は理論物理学（宇宙論）だが、汎用AIによる人類絶滅の危険性に注目し、近年はAI研究に軸足を移している。2014年に、AIの安全な研究を推進する非営利団体「生命の未来研究所（Future of Life Institute）」を共同設立。

リンダ・グラットン（Lynda Gratton）

ロンドン・ビジネススクール教授。1955年生まれ。人材論、組織論の世界的権威。2019年、経営思想家ランキング「Thinkers50」で13位に選出。英エコノミスト誌が選ぶ「仕事の未来を予測する識者トップ200人」の一人。仕事の未来を考える「働き方の未来コンソーシアム」を率いる。

スティーブン・ピンカー（Steven Pinker）

ハーバード大学心理学教授。1954年生まれ。認知科学者、実験心理学者として視覚認知、心理言語学について研究している。進化心理学の第一人者。2004年には米タイム誌の「世界で最も影響力のある100人」に、2005年にはフォーリンポリシー誌の「知識人トップ100人」に選ばれた。

スコット・ギャロウェイ（Scott Galloway）

ニューヨーク大学スターン経営大学院教授。1964年生まれ。MBAコースでブランド戦略とデジタルマーケティングを教える。連続起業家（シリアル・アントレプレナー）として九つの会社を起業。2012年には「世界最高のビジネススクール教授50人」に選出された。

ポール・クルーグマン（Paul Krugman）

ニューヨーク市立大学大学院センター教授。1953年生まれ。2008年、ノーベル経済学賞受賞。1982年から1年間大統領経済諮問委員会スタッフも務めた。主な研究分野は国際貿易。ニューヨーク・タイムズ紙の常任コラムニストでもある。

大野和基（おおの　かずもと）
1955年、兵庫県生まれ。東京外国語大学英米学科卒業。1979〜1997年渡米。コーネル大学で化学、ニューヨーク医科大学で基礎医学を学ぶ。その後、現地ジャーナリストとして活動開始。国際情勢から医療問題、経済まで幅広い分野を取材、執筆。帰国後もアメリカと日本を行き来して活動中。編著書に『未来を読む』、『未完の資本主義』（ともにPHP新書）など。

文春新書

1271

コロナ後《ご》の世界《せかい》

2020年7月20日　第1刷発行
2020年9月5日　第4刷発行

編　者　　大野和基
発行者　　大松芳男
発行所　株式会社　文藝春秋

〒102-8008　東京都千代田区紀尾井町3-23
電話（03）3265-1211（代表）

印刷所　　理想社
付物印刷　大日本印刷
製本所　　大口製本

定価はカバーに表示してあります。
万一、落丁・乱丁の場合は小社製作部宛お送り下さい。
送料小社負担でお取替え致します。

ISBN978-4-16-661271-0

◆経済と企業

金融工学、こんなに面白い　野口悠紀雄
臆病者のための株入門　橘　玲
臆病者のための億万長者入門　橘　玲
売る力　鈴木敏文
安売り王一代　安田隆夫
熱湯経営　樋口武男
先の先を読め　樋口武男
こんなリーダーになりたい　佐々木常夫
新自由主義の自滅　菊池英博
黒田日銀　最後の賭け　小野展克
石油の「埋蔵量」は誰が決めるのか？　岩瀬　昇
原油暴落の謎を解く　岩瀬　昇
就活って何だ　森　健
新・国富論　浜　矩子
資産フライト　山田　順
円安亡国　山田　順

日本型モノづくりの敗北　湯之上隆
松下幸之助の憂鬱　立石泰則
さよなら！　僕らのソニー　立石泰則
君がいる場所、そこがソニーだ　立石泰則
日本人はなぜ株で損するのか？　藤原敬之
ビジネスパーソンのための契約の教科書　福井健策
ビジネスパーソンのための企業法務の教科書　西村あさひ法律事務所編
サイバー・テロ　日米vs.中国　土屋大洋
ブラック企業　今野晴貴
ブラック企業2　今野晴貴
『ONE PIECE』と『相棒』でわかる！細野真宏の世界一わかりやすい投資講座　細野真宏
日本の会社40の弱点　小平達也
税金　常識のウソ　神野直彦
アメリカは日本の消費税を許さない　岩本沙弓
税金を払わない巨大企業　富岡幸雄
トヨタ生産方式の逆襲　鈴村尚久
VWの失敗とエコカー戦争　香住　駿
朝日新聞　朝日新聞記者有志

働く女子の運命　濱口桂一郎
無敵の仕事術　加藤　崇
「公益」資本主義　原　丈人
人工知能と経済の未来　井上智洋
お祈りメール来た、日本死ね　海老原嗣生
2040年全ビジネスモデル消滅　牧野知弘
自動車会社が消える日　井上久男
新貿易立国論　大泉啓一郎
日銀バブルが日本を蝕む　藤田知也
AIが変えるお金の未来　坂井隆之・宮川裕章＋毎日新聞フィンテック取材班
なぜ日本の会社は生産性が低いのか？　熊野英生

◆世界の国と歴史

新・戦争論 池上 彰 佐藤 優
大世界史 池上 彰 佐藤 優
新・リーダー論 池上 彰 佐藤 優
知らなきゃよかった 池上 彰 佐藤 優
民族問題 佐藤 優
二十世紀論 福田和也
歴史とはなにか 岡田英弘
新約聖書Ⅰ 新共同訳 佐藤 優解説
新約聖書Ⅱ 新共同訳 佐藤 優解説
ローマ人への20の質問 塩野七生
新・民族の世界地図 21世紀研究会編
地名の世界地図 21世紀研究会編
人名の世界地図 21世紀研究会編
常識の世界地図 21世紀研究会編
イスラームの世界地図 21世紀研究会編
食の世界地図 21世紀研究会編
武器の世界地図 21世紀研究会編
戦争の常識 鍛冶俊樹
フランス7つの謎 小田中直樹
ロシア 闇と魂の国家 亀山郁夫 佐藤 優
独裁者プーチン 名越健郎
イタリア人と日本人、どっちがバカ？ ファブリツィオ・グラッセッリ
イタリア「色悪党」列伝 ファブリツィオ・グラッセッリ
第一次世界大戦はなぜ始まったのか 別宮暖朗
イスラーム国の衝撃 池内 恵
グローバリズムが世界を滅ぼす エマニュエル・トッド ハジュン・チャン他
「ドイツ帝国」が世界を破滅させる エマニュエル・トッド 堀 茂樹訳
シャルリとは誰か？ エマニュエル・トッド 堀 茂樹訳
問題は英国ではない、EUなのだ エマニュエル・トッド 堀 茂樹訳
世界最強の女帝 メルケルの謎 佐藤伸行
ドナルド・トランプ 佐藤伸行
日本の敵 宮家邦彦
「超」世界史・日本史 片山杜秀
戦争を始めるのは誰か 渡辺惣樹
第二次世界大戦 アメリカの敗北 渡辺惣樹
オバマへの手紙 三山秀昭
熱狂する「神の国」アメリカ 松本佐保
戦争にチャンスを与えよ エドワード・ルトワック 奥山真司訳
知立国家 イスラエル 米山伸郎
1918年最強ドイツ軍はなぜ敗れたのか 飯倉 章
人に話したくなる世界史 玉木俊明
世界史を変えた詐欺師たち 東谷 暁
トランプ ロシアゲートの虚実 小川 聡 東 秀敏
王室と不敬罪 岩佐淳士

エマニュエル・トッド　堀　茂樹訳
問題は英国ではない、EUなのだ
21世紀の新・国家論

ソ連崩壊から英国のEU離脱まで、数々の「予言」を的中させた歴史家が、その独自の分析の秘訣を明かし、混迷する世界の未来を語る

1093

玉木俊明
人に話したくなる世界史

大航海時代はアフリカの金が目当て？　『母をたずねて三千里』はなぜイタリアから新大陸へ渡るのか？　目からウロコの世界史講義

1165

エドワード・ルトワック　奥山真司訳
日本4・0
国家戦略の新しいリアル

北朝鮮問題究極の決断。自衛隊を「戦う組織」に。AIで戦争は終わらなくなる？　冷徹な戦略論理による「危機の時代」の対処法

1182

文藝春秋編
世界史の新常識

古代ギリシアはペルシアに操られていた？　イギリス料理がまずいのは産業革命のせい？　歴史の不思議の扉が次々に開かれる一冊！

1208

船橋洋一
地経学とは何か

地政学的な目的のために経済を武器として使うこと、それが地経学だ。米中を筆頭に、AI、5Gなど新技術をめぐる闘いの最前線

1251